étangs et
fontaines

PROJETS ÉTAPE PAR ÉTAPE

MODUS VIVENDI

© **2003 Creative Homeowner,** une division de
Federal Marketing Upper Saddle River, NJ
Paru sous le titre original de : Ponds and Fountains

LES PUBLICATIONS MODUS VIVENDI INC.
5150, boul. Saint-Laurent, 1er étage
Montréal (Québec)
Canada
H2T 1R8

Design de la couverture : Marc Alain
Infographie : Modus Vivendi
Traduction : Claudine Azoulay

Dépôt légal : 1er trimestre 2004
Bibliothèque nationale du Québec
Bibliothèque nationale du Canada
Bibliothèque nationale de Paris

ISBN : 2-89523-231-8

Nous reconnaissons l'aide financière du gouvernement du Canada par l'entremise du Programme d'aide au développement de l'industrie de l'édition (PADIÉ) pour nos activités d'édition.
Gouvernement du Québec — Programme de crédit d'impôt pour l'édition de livres — Gestion SODEC

Dans le but de simplifier la lecture de ce livre, les mesures anglaises ont été maintenues dans le texte, d'autant plus qu'au Canada français, le virage métrique en construction est encore loin d'être accompli. Pour obtenir les équivalents métriques, veuillez vous référer au tableau des équivalences de cette page.

Équivalences

Longueur

1 pouce	25,4 mm
1 pied	0,3048 m
1 verge	0,9144 m
1 mille	1,61 km

Surface

1 pouce carré	645 mm^2
1 pied carré	0,0929 m^2
1 verge carrée	0,8361 m^2
1 acre	4046,86 m^2
1 mille carré	2,59 km^2

Volume

1 pouce cube	16,3870 cm^3
1 pied cube	0,03 m^3
1 verge cube	0,77 m^3

Dimensions du bois d'œuvre

1 X 2	19 X 38 mm
1 X 4	19 X 89 mm
2 X 2	38 X 38 mm
2 X 4	38 X 89 mm
2 X 6	38 X 140 mm
2 X 8	38 X 184 mm
2 X 10	38 X 235 mm
2 X 12	38 X 286 mm

Grandeurs de panneaux de bois

4 X 8 pi	120 X 240 cm
4 X 10 pi	120 X 300 cm

Épaisseurs de panneaux

1/4 po	6 mm
3/8 po	9 mm
1/2 po	12 mm
3/4 po	19 mm

Espacement centre à centre (CAC) des poteaux/solives

16 po	40 cm
24 po	60 cm

Capacités

1 once liquide	29,57 mL
1 pinte	1,14 L
1 gallon (U.S.)	3,79 L

Températures

Celsius = Fahrenheit – 32 X 5/9
Fahrenheit = Celsius X 1,8 + 32

Crédits Photographiques

page 1 : Gary G. Wittstock/Pond Supplies of America, Inc., Yorkville, IL, 630-553-0033
page 3 : en haut Jacqueline Murphy/CH; en haut au milieu et au centre Gary G. Wittstock/Pond Supplies of America, Inc.; en bas J. Paul Moore page 5 : en haut à gauche Jennifer Ramcke, gracieuseté de Alex Bartusiavicius; en haut à droite Robert Perron; en bas à droite Jacqueline Murphy/CH; en bas à gauche Brian Nieves/CH, gracieuseté de Waterford Gardens; au milieu à gauche Jacqueline Murphy/CH page 17 : en haut à gauche, au milieu et à droite Gary G. Wittstock/Pond Supplies of America, Inc.; en bas à droite Saxon Holt; en bas à gauche Edifice Photo/Gillian Darley page 23 : en haut à gauche et à droite Gary G. Wittstock/Pond Supplies of America, Inc.; en bas à droite Joan Lebold Cohen/Photo Researchers; en bas à gauche Judy White/New Leaf Images page 33 : en haut à gauche Saxon Holt; en haut à droite John Glover; designer : Pamela Woods; en bas à droite Roger Foley; en bas à gauche Ken Druse page 37 : en haut à gauche Gary G. Wittstock/Pond Supplies of America, Inc; en haut à droite Jennifer Ramcke, gracieuseté de Jerry Savitske; en bas à droite

Jennifer Ramcke, gracieuseté de Alex Bartusiavicius; en bas à gauche Ron Sutherland/Garden Picture Library page 51 : en haut à gauche gracieuseté de Charleston Gardens; en haut au milieu John Glover; en haut et en bas à droite Jacqueline Murphy/CH; en bas à gauche Jennifer Ramcke, gracieuseté de Bar Harbor Township page 57 : en haut à gauche Brad Simmons, architecte : Greg Staley; en haut à droite Pam Spaulding/Positive Images; en bas Brian Nieves/CH, gracieuseté de Waterford Gardens page 61 : en haut à gauche, au milieu et à droite Gary G. Wittstock/Pond Supplies of America, Inc.; en bas Ron Sutherland/Garden Picture Library page 67 : en haut à gauche Jacqueline Murphy/CH; en haut à droite gracieuseté de Van Ness Water Gardens; au centre à droite Jack Jennings/Missouri Botanical Gardens; en bas à droite Gary G. Wittstock/Pond Supplies of America, Inc.; en bas à gauche Jennifer Ramcke, gracieuseté de Jerry Savitske; au centre Jack Jennings/Missouri Botanical Gardens; au centre à gauche Missouri Botanical Gardens page 73 : en haut Ken Druse; en bas à droite et à gauche Gary G. Wittstock/Pond Supplies of America, Inc.

Table des matières

La sécurité avant tout

Bien que tous les projets décrits dans ce manuel ainsi que les méthodes employées pour leur réalisation aient été vérifiés quant à leur sécurité, on n'insistera jamais trop sur l'importance d'avoir recours aux techniques de construction les plus sécuritaires qui soient. Vous trouverez ci-dessous certaines consignes de sécurité applicables à tout projet de construction ou de bricolage, qui ne remplacent toutefois pas le gros bon sens.

- Lorsque vous suivez les directives données dans ce manuel, faites toujours preuve de prudence et de discernement.
- Veillez toujours à ce que l'installation électrique soit sécuritaire. Assurez-vous qu'aucun circuit n'est surchargé et que toutes les prises et les outils électriques sont mis à la terre. N'utilisez pas d'outils électriques dans des lieux humides.
- Lisez bien les étiquettes sur les peintures, solvants et autres produits. Utilisez-les dans des endroits bien aérés et respectez toutes les mises en garde.
- Lisez toujours les directives du fabricant relatives à l'utilisation d'un outil, et surtout les mises en garde.
- Servez-vous autant que possible de cales et de poussoirs quand vous travaillez sur une scie circulaire à table. Évitez autant que possible de travailler sur de petites pièces.
- Ôtez toujours la clé de mandrin avant de démarrer une perceuse (portative ou à colonne).
- Étudiez avec soin le mode de fonctionnement d'un outil afin d'éviter de vous blesser.
- Prenez conscience des limites de vos outils. Ne les forcez pas à faire des choses pour lesquelles ils n'ont pas été conçus.
- Assurez-vous toujours que tous les réglages sont verrouillés avant de démarrer. Par exemple, vérifiez toujours le guide d'une scie circulaire à table ou l'ajustement du chanfrein sur une scie portative avant de commencer une opération.
- Fixez toujours les petites pièces fermement à la surface de travail lorsque vous y travaillez avec un outil électrique.

- Portez toujours des gants de caoutchouc ou de travail appropriés lorsque vous manipulez des produits chimiques, déplacez ou empilez des morceaux de bois ou effectuez de gros travaux de construction.
- Portez toujours un masque jetable lorsque vous faites de la poussière en sciant ou en ponçant. Servez-vous d'un masque filtrant quand vous travaillez avec des substances toxiques et des solvants.
- Portez toujours des lunettes de sécurité, surtout lorsque vous travaillez avec des outils électriques ou lorsque vous frappez du métal ou du béton ; un éclat peut voler, par exemple, quand on burine du béton.
- N'oubliez jamais que vous aurez rarement suffisamment de réflexe pour éviter une blessure causée par un outil électrique. Un accident arrive trop vite. Soyez vigilant !
- Gardez toujours vos mains éloignées des lames, des couteaux et des mèches.
- Tenez toujours une scie circulaire fermement, de préférence avec les deux mains pour que vous sachiez toujours où celles-ci se trouvent.
- Utilisez toujours une perceuse munie d'une poignée auxiliaire afin de contrôler l'effort de serrage quand vous employez des grosses mèches.
- Informez-vous toujours des règlements municipaux lorsque vous planifiez des travaux de construction. Ces règlements servent à protéger la sécurité publique et doivent être observés à la lettre.
- Ne travaillez jamais avec des outils électriques si vous êtes fatigué ou sous l'emprise de l'alcool ou de médicaments.

- Ne découpez jamais de minuscules bouts de bois ou de tuyau avec une scie électrique. Taillez des petits morceaux à partir de plus grands.
- Ne changez jamais une lame de scie, une mèche ou une fraise sans que l'outil ne soit débranché. Ne vous fiez pas sur le bouton qui est à l'arrêt car vous risquez de le toucher accidentellement.
- Ne travaillez jamais sans un éclairage suffisant.
- Ne travaillez jamais avec des vêtements amples, les cheveux détachés, les manches déboutonnées ou des bijoux.
- Ne travaillez jamais avec des outils émoussés. Faites-les aiguiser ou apprenez à les aiguiser vous-même.
- N'utilisez jamais un outil électrique sur un ouvrage - grand ou petit - qui n'est pas fixé solidement.
- Ne sciez jamais une longue pièce placée sur les tréteaux sans mettre au préalable des supports de chaque côté de la coupe. La pièce peut se replier sur la lame, la bloquer et causer un recul de la scie.
- Ne retenez jamais une pièce avec votre jambe ou toute autre partie de votre corps pendant que vous la sciez.
- Ne mettez jamais dans votre poche des outils coupants ou pointus, tels que couteaux, poinçons ou burins. Si vous voulez transporter des outils de ce genre, servez-vous d'une pochette ou d'un tablier spéciaux en cuir.

chapitre 1

La planification

Choisir un emplacement

Même si vous avez déjà une idée d'un endroit idéal pour votre bassin, vous pourriez songer à un ou deux autres emplacements. Avant de prendre une décision finale, examinez les questions suivantes : Quelle fonction ce bassin va-t-il avoir : combler un endroit vide du jardin, fournir un lieu calme propice à la méditation ou encore être le complément d'une terrasse, d'un patio ou d'un autre élément déjà présent ? Le bassin doit-il être facilement accessible? Aimeriez-vous y arriver après une promenade le long d'une allée ou le trouver au seuil de votre porte? Le bassin devrait-il être caché ou aimeriez-vous le voir de votre maison pour en profiter toute l'année? De quelle manière l'exposition de votre terrain au soleil, à l'ombre et au vent va-t-elle affecter la localisation du bassin?

L'alimentation en eau et en électricité va-t-elle être facile? Le terrassement risque-t-il de toucher des canalisations et des câbles souterrains existants ?

À quelle distance de la maison ? Un bassin visible de la maison – par une fenêtre panoramique ou une porte-fenêtre par exemple – offrira un spectacle agréable même par mauvais temps. Si vous ajoutez un éclairage sous l'eau ou encore un éclairage de jardin tout autour du bassin, vous obtiendrez un effet magnifique le soir. En revanche, un bassin éloigné de la maison, éventuellement entouré d'une haie ou de grands arbustes, peut servir de coin intime, d'endroit paisible où les membres de la famille pourront s'évader de la routine quotidienne. Un bassin ou une fontaine placés à l'entrée de la maison ajoutent un élément intéressant au décor. Ils donnent de plus aux visiteurs de quoi contempler pendant qu'ils attendent sur le seuil de la porte. Si votre propriété est

suffisamment grande, vous pouvez placer un petit bassin sur le côté de la maison, qui serait visible d'une fenêtre de cuisine ou de chambre. Si votre jardin est très petit, vous pouvez simplement placer le bassin en plein milieu et aménager les autres éléments autour (allées, plantations et aire de repos).

Le soleil, l'ombre et le vent. L'emplacement choisi pour le bassin devra être très ensoleillé si vous décidez d'y mettre des plantes aquatiques à fleurs. Durant la belle saison, les nénuphars, par exemple, exigent pour fleurir un minimum de six à huit heures de soleil direct par jour même si certaines variétés fleuriront avec seulement trois ou quatre heures de soleil direct. Plus le bassin recevra de soleil direct, plus vous aurez de choix en ce qui a trait aux plantes aquatiques.

Si vous envisagez d'empoissonner le bassin, il faudra équilibrer les périodes d'ombre et d'ensoleillement durant la

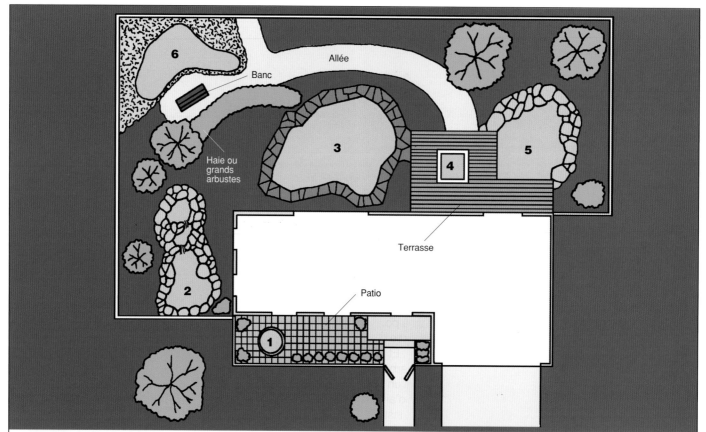

Choisir un emplacement. Lorsque vous choisissez un emplacement pour votre bassin, vous devez déterminer à quelle distance de la maison vous le voulez et de quelle(s) pièce(s) vous souhaitez le voir. Un petit bassin ou une fontaine classique **(1)** accueille les visiteurs à l'entrée de la maison. Plusieurs petits bassins reliés par de courtes chutes d'eau **(2)** s'adaptent parfaitement à un jardin étroit situé sur le côté de la maison. Un grand bassin **(3)** constitue un centre d'attraction spectaculaire lorsqu'on le voit d'une fenêtre panoramique. Un bassin intégré **(4)** ou encore adjacent **(5)** à un patio ou à une terrasse est visible aussi bien de l'intérieur que de l'extérieur. Un bassin placé dans un coin isolé du jardin, loin de la maison **(6)**, sert de lieu de détente.

période la plus chaude de la journée. On peut faire de l'ombre grâce aux feuilles de nénuphars ou de lotus, aux grands arbustes ou aux végétaux plantés sur le pourtour du bassin, à une clôture ou une autre structure adjacente ou encore un pare-soleil amovible. Pour fabriquer un pare-soleil simple et léger, construisez un cadre en bois que vous recouvrirez de toile géotextile ou autre, de couleur claire. Vous pouvez ensuite le placer pour qu'il fasse de l'ombre sur le bassin durant les heures les plus chaudes de la journée. Les petits bassins ou les jardins d'eau en bac (de 400 litres [100 gallons] ou moins) tirent eux aussi profit de l'ombre car une température trop élevée favorise un développement excessif des algues et augmente l'évaporation de l'eau.

Même si l'ombre est nécessaire, vous devriez éviter de placer votre bassin sous de grands arbres ou même à proximité d'eux car leurs feuilles ou leurs aiguilles vont souiller l'eau, s'accumuler dans le fond du bassin et boucher le système de pompage et de filtration. Si vous n'avez pas d'autre choix, en automne, vous pouvez placer sur le bassin un filet ou un écran monté sur un cadre en bois qui recevra les feuilles. Vous devriez éviter également la proximité d'arbres « salissants » dont les nombreux fruits, fleurs ou graines vont tomber dans l'eau.

Des vents forts risquent de faire des dégâts dans votre bassin en envoyant des feuilles, de la poussière et d'autres débris dans l'eau. Le vent risque d'augmenter l'évaporation de l'eau et de gâcher l'effet d'un jet de fontaine. Il faut donc placer autant que possible le bassin à l'abri des vents forts, par exemple près d'une clôture haute ou d'un mur de jardin élevé, de la maison ou de toute autre structure. Si un tel emplacement ne convient pas à votre aménagement, vous pouvez planter de grands arbres ou arbustes à feuilles persistantes et à croissance rapide sur le côté du bassin situé au vent, en guise de brise-vent. De grands conifères comme les épinettes et les pins constituent de bons brise-vent. L'épinette de Norvège et le filao constituent deux bons choix tout comme les arbres à feuilles persistantes et à feuilles larges et les grands arbustes que sont l'eucalyptus, le houx et le laurier-rose. Si vous vivez au bord de la mer, des espèces tolérantes au sel comme le cyprès de Monterey, le

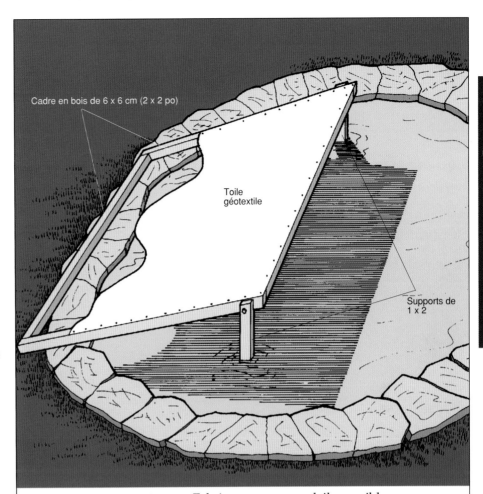

Cadre en bois de 6 x 6 cm (2 x 2 po)

Toile géotextile

Supports de 1 x 2

Le soleil, l'ombre et le vent. Fabriquez un pare-soleil amovible en recouvrant un cadre en bois de toile géotextile ou autre.

pin noir du Japon et le cèdre de l'Atlas coupent le vent et protègent en même temps le bassin des embruns salés.

Les arbres et les grands arbustes constituent en général de meilleurs brise-vent que des murs ou des clôtures car ils réduisent la force du vent sur une plus grande superficie en arrière d'eux (en principe, sur une distance égale à dix fois la hauteur de l'arbre). Lorsqu'il frappe des obstacles solides, le vent a tendance à poursuivre sa route avec toute sa force sur plusieurs mètres derrière lui. Et rappelez-vous d'éviter de placer les arbres trop près du bassin ou vous aurez un problème de chute de feuilles ou d'aiguilles. Vous pouvez également installer des treillages sur le côté du bassin exposé au vent, éventuellement recouverts de plantes grimpantes, qui serviront à la fois de brise-vent et d'arrière-fond décoratif.

Si vous habitez dans votre maison depuis plus d'un ou deux ans, vous savez sans doute de quelle manière le soleil, l'ombre et le vent affectent les

différents coins de votre jardin à divers moments de la journée et selon les saisons. Dans l'hémisphère Nord, une exposition sud (le pare-soleil placé sur le côté nord du bassin) fournit la plus grande quantité de soleil à longueur d'année, y compris de l'ombre de fin d'après-midi durant les mois d'été. Inversement, une exposition nord (le pare-soleil placé sur le côté sud du bassin) apporte la plus petite quantité de soleil, y compris du soleil de fin d'après-midi en été. Une exposition est (le pare-soleil placé sur le côté ouest du bassin) apporte du soleil le matin et de l'ombre l'après-midi. Par conséquent, en plaçant un pare-soleil sur le côté nord-ouest du bassin, on obtient de l'ombre pour protéger les poissons durant les après-midi les plus chauds de l'été tout en recevant suffisamment d'ensoleillement pour permettre à l'eau de se maintenir tempérée durant les mois d'hiver dans les climats doux. Si vous ne savez pas exactement de quelle manière le soleil et l'ombre atteignent votre bassin, installez un pare-soleil temporaire tel qu'il est illustré page 7. Testez l'emplacement pendant une ou deux saisons avant d'installer une structure permanente qui donnera de l'ombre ou avant d'effectuer des plantations.

Les éléments de l'aménagement existants

Il vous faut savoir quels éléments déjà présents dans votre jardin vont compléter le bassin et lesquels vont lui nuire. Par exemple, le choix de l'emplacement de votre bassin peut mener au besoin de couper (ou d'élaguer) un ou plusieurs grands arbres ou arbustes afin d'avoir suffisamment de soleil ou d'éviter d'avoir trop de feuilles qui polluent l'eau. Pour avoir un meilleur accès au bassin, il faudra peut-être modifier le trajet de certaines allées.

Visualisez le bassin sous différents angles afin d'évaluer l'impact visuel des éléments qui l'entourent. Vous pourriez avoir choisi ce qui vous semble être l'endroit idéal et vous rendre compte que certains éléments inesthétiques doivent être enlevés ou camouflés. Certains éléments disgracieux comme une vieille clôture de bois, une remise en métal ou un mur de la maison totalement nu peuvent être dans bien des cas dissimulés par de la végétation.

D'un autre côté, un bassin planté au beau milieu d'une vaste étendue de pelouse va paraître artificiel et désolé. Dans ce cas-ci, planifiez un aménagement autour du bassin, par exemple en ajoutant une rocaille ou des platebandes ou encore une aire de repos avec des bancs. Des arbustes ou des arbres plus grands peuvent servir d'agréable toile de fond tout en ajoutant une dimension au bassin ou en masquant des éléments inesthétiques comme la clôture de la propriété ou la maison du voisin. Allées, ponts, statues ou autres éléments architecturaux servent également à ajouter un intérêt à l'aménagement.

N'oubliez pas que le bassin doit être à l'échelle de la végétation et des éléments architecturaux de votre propriété. Un grand bassin ne

conviendrait pas dans un petit jardin tout comme un petit bassin aurait l'air perdu près d'une immense terrasse.

Le terrain et la topographie

Les endroits plats. Le meilleur emplacement pour un bassin est un terrain plat, nivelé et bien drainé. Cependant, même sur un terrain plat, le matériau de bordure du bassin doit être surélevé d'au moins 5 cm (2 po) par rapport au terrain pour empêcher la terre, les produits chimiques horticoles et les matières organiques de polluer l'eau. Dans les terrains argileux mal drainés (où de grosses flaques risquent de se former après de fortes pluies), il faut déniveler le terrain à partir du bord du bassin sur une distance d'au moins 3 m (10 pi) dans toutes les directions. Une inclinaison de 1 cm/m (1/8 po/pi) assurera un bon drainage.

Les terrains en pente. Les terrains en pente permettent de réaliser de magnifiques bassins d'eau agrémentés d'une ou de plusieurs cascades, surtout s'ils présentent des

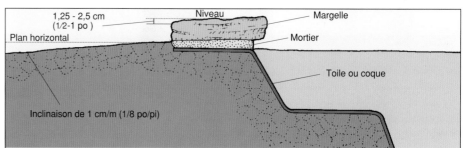

Les endroits plats. Il est plus facile d'installer un bassin sur un terrain plat. Pour obtenir un bon drainage, dénivelez le terrain dans toutes les directions, dans un rayon de 3 m (10 pi) autour du bassin. La construction d'une bordure empêche la terre et les produits chimiques horticoles de se déverser dans le bassin.

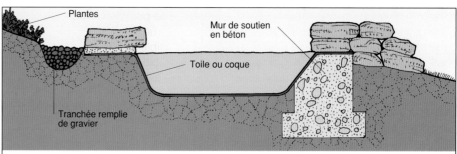

Les terrains en pente. Sur un terrain en pente, canalisez les eaux de ruissellement en creusant une tranchée remplie de gravier en amont du bassin. Des plantes couvre-sol et d'autres végétaux aident à enrayer l'érosion. Du béton coulé ou un bloc de maçonnerie retiennent la coque ou la toile en aval du bassin.

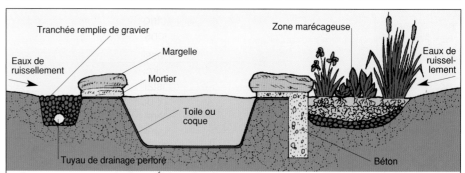

Les zones en contrebas. Évitez de placer un bassin dans un terrain en contrebas. Si vous n'avez pas d'alternative, faites une tranchée remplie de gravier pourvue d'un tuyau de drainage perforé sur le pourtour du bassin pour en éloigner les eaux de ruissellement de surface et souterraines. Le tuyau mène à un puits sec situé dans la partie la plus basse de la propriété.

affleurements rocheux ou si l'on peut y ajouter de grosses roches. Ce genre d'emplacement représente toutefois un plus grand défi pour le constructeur. Il faut parfois niveler excessivement le terrain à l'emplacement prévu pour le bassin et diriger les eaux de ruissellement provenant des zones de végétation supérieures, adjacentes au bassin. Une bordure surélevée empêchera l'eau de s'écouler dans le bassin. Une tranchée peu profonde remplie de gravier située du côté du bassin adjacent à la pente sera peut-être nécessaire pour retenir les eaux de ruissellement importantes.

Les zones en contrebas. En général, un bassin a l'air plus naturel dans une zone en contrebas. En le plaçant là, cependant, vous augmentez le risque que les eaux de ruissellement se déversent dans le bassin par tous les côtés. Pour éloigner les eaux de ruissellement des bords du bassin, il faudra surélever la margelle en pierre de 7 à 15 cm (3 à 6 po) au-dessus du terrain qui entoure le bassin. Sur le pourtour du bassin, vous pouvez aussi aménager une tranchée remplie de gravier menant à un puits sec placé dans une partie plus basse du jardin. Vous pouvez également entourer le bassin d'une zone marécageuse. Enfin, les bassins installés hors terre conviennent bien aux secteurs en contrebas.

L'accès aux commodités

Si votre aménagement comporte une pompe et un système d'éclairage sous l'eau ou dans les alentours du bassin, il vous faudra amener l'électricité sur le site. Certaines pompes se branchent simplement sur une prise tripolaire alors que d'autres doivent être « câblées » directement sur le circuit et commandées par un interrupteur. Dans les deux cas, il est préférable d'installer un interrupteur qui vous permettra de commander la pompe et l'éclairage à partir de la maison (dans le cas d'appareils qui se branchent sur le secteur, un interrupteur commande la prise).

Pour amener l'électricité au bassin, vous devrez installer un câble électrique souterrain entre la maison et l'emplacement du bassin pour fournir un branchement à la pompe. On utilise habituellement un câble blindé non métallique (Romex), placé à l'intérieur

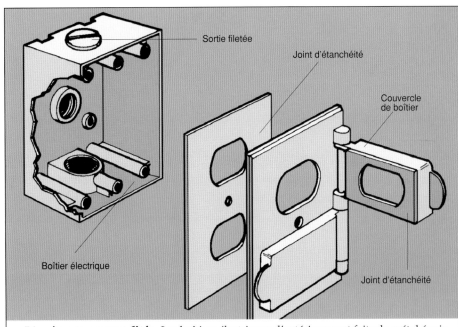

Sortie filetée

Joint d'étanchéité

Couvercle de boîtier

Boîtier électrique

Joint d'étanchéité

L'accès aux commodités. Les boîtiers électriques d'extérieur sont faits de métal épais et sont munis de joints d'étanchéité qui servent à protéger les fils des intempéries.

d'une gaine électrique en PVC (gris) de 1/2 po. Vérifiez toutefois le code d'électricité en vigueur dans votre région. Bien qu'il soit toujours possible d'utiliser un circuit déjà présent dans la maison, il est en général préférable de brancher la pompe et l'éclairage du bassin sur un circuit séparé doté de son propre fusible sur le panneau principal. Si vous décidez d'utiliser un circuit déjà existant, veillez bien à ce qu'il soit en mesure de supporter la surcharge représentée par la pompe et tout éclairage extérieur que vous allez installer. Les boîtiers électriques d'extérieur, le câble blindé et la gaine en PVC se vendent dans les quincailleries. Si la pompe et l'éclairage doivent être immergés, vous devrez sans doute installer un disjoncteur de fuite à la terre ou bien une prise dans le circuit électrique. Encore là, vérifiez les spécifications du code d'électricité.

Dans les bassins et les fontaines, l'eau circule en circuit fermé ; il n'y a donc pas besoin d'installer une alimentation en eau directement dans le plan d'eau. Assurez-vous simplement qu'il y a un robinet extérieur non loin de là pour pouvoir ajouter de l'eau au besoin dans le bassin à l'aide d'un tuyau d'arrosage. Les petits bassins surtout risquent d'avoir besoin de remplissage environ chaque semaine durant les mois les plus chauds de l'année. Pour éliminer cette tâche, vous pouvez raccorder un tube en plastique

de 1/4 po à une source d'alimentation en eau voisine, l'amener vers le bassin puis raccorder le tube à un robinet à flotteur afin de maintenir un niveau d'eau constant (voir le schéma page 50). Ces installations peu coûteuses se vendent par catalogue chez les distributeurs d'articles pour jardins d'eau ainsi que dans les pépinières qui vendent des accessoires pour jardins d'eau. De simples robinets à flotteur, comme ceux qui existent dans les réservoirs de toilettes, conviennent également, bien qu'ils soient plus gros et donc plus difficiles à camoufler que les autres.

Pour installer les commodités, choisissez les trajets les plus directs entre la maison et le bassin. Évitez cependant de placer les canalisations sous des terrasses en ciment, des patios en bois ou toute autre structure permanente car elles seraient difficilement accessibles si elles avaient besoin de réparations. De plus, lorsque vous choisissez l'emplacement du bassin, assurez-vous de ne pas être directement au-dessus de canalisations ou de câbles souterrains déjà existants, ni de canalisations d'égout ou de fosses septiques.

Les styles de bassins

Le choix d'un bassin est affaire de goût. Il est malgré tout plus esthétique qu'il soit en harmonie avec le style de votre résidence, de votre jardin et des différents éléments de l'aménagement déjà existants tels que terrasse ou patio. Par exemple, un bassin aux contours irréguliers agrémenté de grosses pierres recouvertes de mousse détonnerait dans un jardin à la française composé de haies bien taillées et de platebandes géométriques. Inversement, un bassin de forme géométrique doté d'une fontaine très tarabiscotée ou d'une statue grecque antique aurait l'air ridicule dans un jardin sauvage derrière une maison campagnarde.

Les bassins sont en général regroupés en deux styles : rustiques (qui imitent la nature) ou classiques (qui reflètent un style architectural particulier). Cette différentiation ne veut cependant pas dire que vous ne pouvez pas mélanger des éléments naturels et architecturaux sans obtenir un résultat attrayant. Les jardins japonais prouvent justement que l'on peut associer des éléments rustiques et classiques dans le but de reproduire la nature tout en donnant au spectateur une impression de raffinement et d'ordre.

Les bassins classiques

Pour qualifier un bassin de classique ou de rustique, on se base principalement sur sa forme et sur les matériaux utilisés pour souligner et recouvrir son pourtour. Les bassins et les fontaines classiques sont en général de forme bien géométrique : cercle, ovale, rectangle, octogone ou hexagone. Un grand nombre de bassins sont construits hors terre et entourés d'un mur fait de béton, de brique, de pierre de taille ou de crépi. Ils incluent bien souvent une fontaine ornementale. Ce genre de bassins a volontairement un aspect artificiel qui sert à compléter le style symétrique du jardin environnant et des éléments de l'aménagement déjà présents tels qu'une terrasse

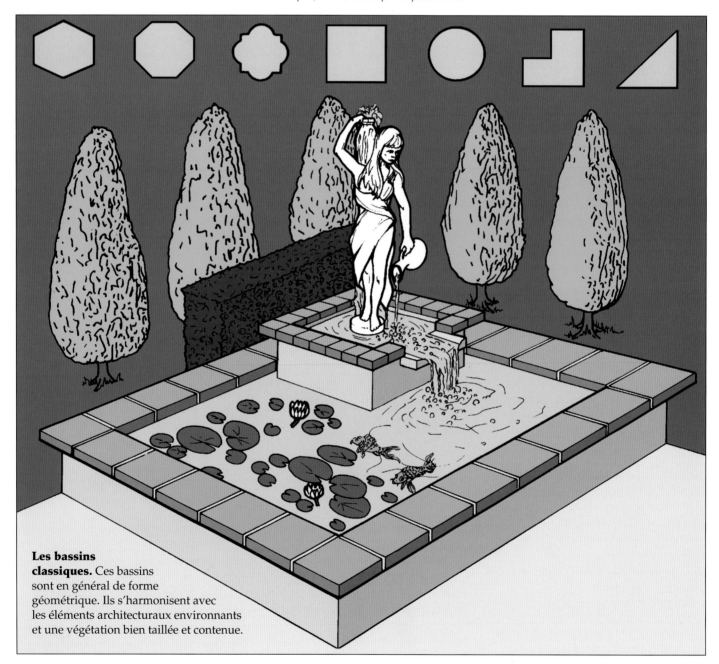

Les bassins classiques. Ces bassins sont en général de forme géométrique. Ils s'harmonisent avec les éléments architecturaux environnants et une végétation bien taillée et contenue.

rectangulaire, un patio curviligne ou des zones de végétation en terrasses. Si votre jardin est de style classique, c'est-à-dire planté d'arbustes et de haies bien taillées ainsi que de platebandes et d'allées symétriques, le bassin devrait être de même.

L'emplacement peut aussi dicter le style. Par exemple, un bassin classique peut servir d'extension à un autre élément de l'aménagement comme un patio en dalles naturelles, un parterre de fleurs surélevé en brique ou même un muret en maçonnerie. Si, d'autre part, le bassin est situé à une certaine distance de la maison ou d'autres structures, il peut être indifféremment classique ou rustique en autant que les plantations environnantes le sont aussi. Les bassins classiques enterrés, souvent eux aussi de forme géométrique, sont intégrés à des patios, terrasses, allées en maçonnerie ou platebandes classiques. Le matériau utilisé pour le patio, la terrasse ou l'allée adjacents peut également servir à réaliser la bordure du bassin.

Les bassins rustiques

Les bassins rustiques s'inspirent des étangs et des ruisseaux présents dans la nature. Ils ont en général une forme curviligne et intègrent souvent un court ruisseau ou une petite cascade qui se déverse sur des pierres naturelles judicieusement placées. Ils peuvent aussi s'intégrer à des éléments du paysage déjà existants tels que de grosses pierres ou un massif de végétaux de haute taille. Des pierres posées en saillie sur le pourtour ainsi que des plantes servent à camoufler les rebords du bassin. Les bassins rustiques sont en général d'un plus bel effet dans de grands terrains où l'aménagement paysager est plus sauvage. Cependant, dans un espace restreint, un filet d'eau qui ruisselle sur quelques grosses pierres et se déverse dans un petit bassin miroitant est presque aussi efficace car il fait penser à une source de montagne miniature.

Les bassins rustiques doivent être conçus avec soin afin qu'ils se fondent dans le paysage environnant. Certains bassins rustiques parmi les plus réalistes intègrent des pierres locales et des plantes indigènes. Des blocs de granit recouverts de fougère et de mousse, par exemple, conviendraient bien à une région densément boisée tandis que des roches de couleur claire piquées de plantes grasses, de roseaux

Les bassins rustiques. Ces bassins imitent la nature ; ils cadrent mieux avec un décor plus sauvage.

et de touffes de graminées évoqueraient plutôt une oasis dans un environnement désertique. Pour compléter l'effet naturel, vous pouvez ajouter dans le bassin même des nénuphars, des iris aquatiques, des lotus et diverses autres plantes des lieux humides. Vous devez aussi planifier avec soin des allées, des aires de repos et d'autres éléments architecturaux adjacents au bassin pour qu'ils n'entravent pas son cachet naturel.

Les zones marécageuses

De nombreux bassins et jardins aquatiques incluent des plantes de berges (voir page 69). Ces plantes doivent toujours avoir les racines recouvertes de 5 à 8 cm (2 à 3 po) d'eau. Les plantes de berges les plus connues sont l'iris aquatique, les quenouilles, la prêle, le myriophylle et les différentes espèces de joncs. Vous pouvez faire pousser des plantes de berges dans des zones du bassin peu profondes en y immergeant des contenants remplis de terre. Vous pouvez aussi créer une zone marécageuse séparée ou encore des

poches de terre marécageuse en creusant des trous ou des rigoles à proximité du bassin que vous tapisserez de toile de bassin EPDM et remplirez de terre détrempée.

Les zones marécageuses sont séparées du bassin par une barrière de terre compacte, de pierres cimentées ou de béton. Elles sont alimentées par les eaux de ruissellement provenant des zones de plantation environnantes ou par un arrosage normal. La barrière empêche la terre et les produits chimiques horticoles de rentrer dans le bassin et de polluer l'eau. Bien qu'il soit préférable de créer des zones marécageuses séparées si l'on veut garder l'eau du bassin propre et claire, il faudra dans ce cas vérifier plus souvent la terre pour qu'elle ne s'assèche pas.

Dans le cas d'une zone marécageuse placée dans le bassin, il faut installer une barrière perméable qui permet à l'eau du bassin de s'infiltrer dans la zone marécageuse et de la garder humide. On peut ajouter une couche de toile géotextile perméable pour éviter qu'une trop grande quantité de terre ne

soit lessivée dans le bassin. Les matières nutritives présentes dans la terre passeront dans l'eau du bassin et la terre fera ainsi partie de l'écologie du bassin. Ces mêmes matières nutritives issues de la terre causant aussi le développement des algues, l'eau du bassin risque de devenir trouble, surtout s'il est petit. Par conséquent, si vous voulez avoir une zone marécageuse dans le bassin même, vous devez la concevoir de façon à ce que les eaux de ruissellement et les produits chimiques issus du jardin environnant ne s'infiltrent pas dans la zone marécageuse.

Abords et allées

Le style des éléments adjacents à votre plan d'eau doit être en harmonie avec celui de votre bassin. Dans le cas des bassins rustiques, faites des allées en matériaux en vrac tels que gravier ou copeaux de bouleau, ou encore placez de grosses pierres aux formes irrégulières sur le pourtour du bassin pour y avoir accès. Si le bassin est suffisamment grand, vous pouvez prolonger l'allée en plaçant des pierres de gué qui permettront de traverser le bassin, ou encore ajouter un pont en bois (voir page 58). Les bassins classiques peuvent inclure des allées de brique, de carrelage, de pièces de bois, de béton, de pierre de taille ou de matériaux de pavage du même genre. Vous pouvez prolonger l'allée tout autour du bassin afin d'offrir aux promeneurs différents points de vue.

Les aires de repos peuvent consister en un banc en bois tout simple placé dans un endroit dégagé, ou encore une terrasse en bois ou un patio en maçonnerie agrémentés de meubles de jardin. Ces éléments doivent être proportionnés à la grandeur du bassin et situés dans un endroit qui en donne la meilleure vue. Il ne faut pas laisser les éléments qui l'entourent écraser le bassin lui-même.

La bordure

La bordure du bassin se compose d'éléments de bois ou de maçonnerie qui définissent concrètement le pourtour du bassin et empêchent la terre des alentours de s'y déverser. Les bassins classiques présentent une bordure en béton coulé, brique, pavés

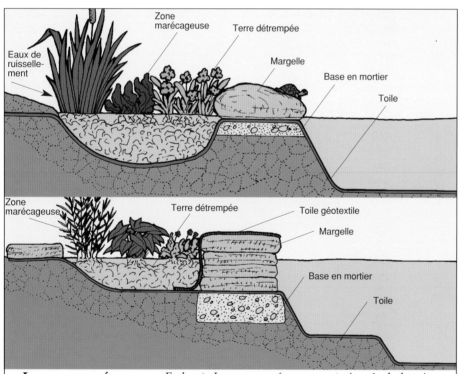

Les zones marécageuses. En haut : La zone marécageuse est séparée du bassin par une barrière solide de terre, de béton ou d'autres matériaux ; les eaux de ruissellement provenant du jardin se déversent dans la zone marécageuse. En bas : La zone marécageuse fait partie du bassin mais elle en est séparée par des pierres ou d'autres matériaux qui retiennent la terre ; l'eau du bassin s'infiltre à travers la margelle pour garder humide la zone marécageuse.

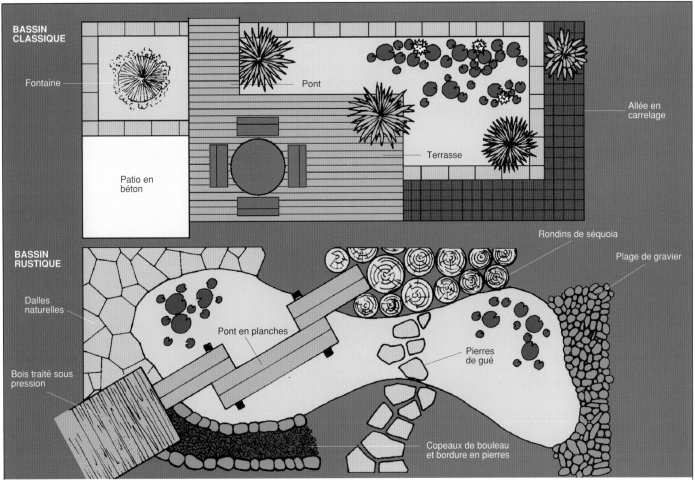

BASSIN CLASSIQUE

Fontaine

Patio en béton

Pont

Terrasse

Allée en carrelage

BASSIN RUSTIQUE

Dalles naturelles

Bois traité sous pression

Pont en planches

Rondins de séquoia

Plage de gravier

Pierres de gué

Copeaux de bouleau et bordure en pierres

Abords et allées. Pour un bassin classique, les abords sont constitués d'éléments en brique, carrelage, béton, pierre de taille et bois qui complètent la forme géométrique du bassin. Un bassin rustique fait appel à des matériaux plus bruts ou d'allure plus naturelle comme de grosses pierres, du gravier, des dalles de pierre naturelle et d'autres matériaux du genre. Les lignes droites et les angles sont adoucis par la végétation.

de béton, carrelage, bois ou pierre de taille. Les bassins rustiques sont en général dotés d'une bordure en pierre naturelle. Le matériau que vous choisissez pour la bordure doit se fondre dans le décor environnant ou le compléter. Une bordure qui dépasse de quelques centimètres le rebord du bassin permet de dissimuler la structure de celui-ci.

Une partie de la bordure doit être suffisamment large et plate pour permettre l'accès au bassin pour l'entretien. Une terrasse en bois qui le surplombe, un patio en ciment ou une allée en dalles naturelles qui le longe peuvent également remplir cette fonction. Bien que ce ne soit pas absolument nécessaire, il est préférable de cimenter les pierres de bordure ou les éléments de maçonnerie pour leur éviter de se déplacer et de risquer de tomber dans le bassin. Tel qu'il est illustré, il faut

relever légèrement les éléments qui servent de bordure par rapport au niveau du sol afin que les eaux de ruissellement ne se déversent pas dans le bassin.

Si vous faites une bordure en bois, assurez-vous qu'il a été traité sous

pression avec un produit de préservation non toxique et qu'il n'entre pas en contact direct avec l'eau du bassin. La plupart des bois traités sous pression vendus chez les fournisseurs de matériaux conviennent mais évitez

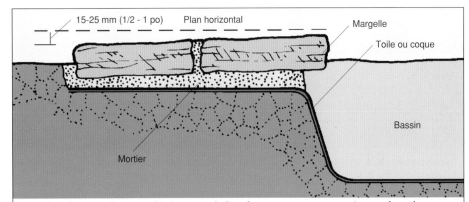

15-25 mm (1/2 - 1 po)   Plan horizontal

Margelle

Toile ou coque

Bassin

Mortier

La bordure. Rehaussez légèrement la bordure par rapport au niveau du sol pour éviter que les eaux de ruissellement ne pénètrent dans le bassin. Inclinez les pierres en direction du terrain.

les bois traités au pentachlorophénol ou au créosote qui sont nocifs pour les poissons et les plantes. Si vous utilisez du séquoia, faites-le sécher pendant au moins un an (ou jusqu'à ce qu'il devienne gris) car le séquoia juste coupé renferme des tanins toxiques. Des eaux de ruissellement issues d'une terrasse en séquoia qui surplombe le bassin peuvent transporter ces substances toxiques.

L'éclairage

Il existe différentes manières d'illuminer un bassin. On pense tout de suite à un éclairage placé sous l'eau ; or, bien souvent, il n'est pas aussi efficace que quelques lumières habilement placées aux environs du bassin. Pour qu'un éclairage immergé soit efficace, il faut que l'eau du bassin soit suffisamment claire et que les lumières soient placées de manière à ne pas aveugler. De plus, lorsqu'on place un éclairage submersible, la surface de l'eau perd ses propriétés réfléchissantes alors que c'est précisément ce qui est spectaculaire la nuit. Placées correctement, des lampes immergées peuvent néanmoins mettre en valeur certains nénuphars, une cascade ou d'autres éléments. Certains systèmes de fontaines sont dotés de lampes intégrées submersibles qui remplissent cette fonction.

Vous pouvez aussi obtenir un bel effet en dirigeant des projecteurs, placés au niveau du sol et bien dissimulés, vers de grands arbres ou arbustes qui se refléteront dans le bassin. Vous pouvez aussi disposer des lumières sur le bord du bassin pour éclairer une cascade ou une fontaine et créer un effet de scintillement. De manière générale, quelques spots ponctuels, judicieusement placés et destinés à mettre en valeur certains coins ou éléments de l'aménagement, produiront un meilleur effet que des projecteurs puissants illuminant tout le jardin.

L'éclairage peut aussi servir à des fins de sécurité, par exemple pour éclairer une allée ou des marches menant au bassin. Des lanternes basses, placées à intervalles réguliers le long d'une allée ou disposées sur la rampe d'un escalier, procurent suffisamment d'éclairage pour indiquer le chemin sans toutefois illuminer les alentours.

L'éclairage. 1. Des lumières immergées peuvent éclairer le bassin au complet, délimiter la surface de l'eau ou être dirigées vers une fontaine. **2.** Des spots disposés sur le bord du bassin peuvent servir à mettre en valeur des coins ou des éléments particuliers du bassin comme un magnifique nénuphar ou une fontaine ornementale. **3.** Une fois éclairés, des arbres, de gros arbustes ou d'autres éléments adjacents au bassin peuvent se refléter de manière spectaculaire dans l'eau. **4.** Un éclairage en plongée permet d'éclairer un patio ou une terrasse situés près du bassin ; il ne faut pas diriger la lumière vers le bassin car elle éblouirait. **5.** Par mesure de sécurité, les allées qui mènent au bassin ou qui l'entourent doivent être éclairées : des lanternes basses délimitent un sentier sans éclairer ailleurs. **6.** Autant que possible, il faut dissimuler les appareils d'éclairage.

Les appareils d'éclairage

Il existe toute une gamme d'appareils d'éclairage extérieur conçus pour produire de multiples effets. Vous avez le choix entre deux systèmes : à tension normale (120 volts) ou à basse tension (12 volts). Les systèmes à tension normale fonctionnent directement sur le courant domestique ; les systèmes à 12 volts nécessitent un transformateur qui est relié à la source d'alimentation de 120 volts. En règle générale, les systèmes à 12 volts sont beaucoup plus sécuritaires et faciles à installer que les systèmes standard, et les appareils et les ampoules coûtent beaucoup moins cher (la plupart fonctionnent avec des ampoules standard comme celles utilisées pour les automobiles). Un grand nombre de systèmes à basse tension sont offerts en kit à installer soi-même mais la quantité d'ampoules et d'effets possibles reste limitée. Il faut savoir que les systèmes d'éclairage à basse tension ne produisent pas autant de lumière que les systèmes standard et que, par conséquent, ils n'éclairent pas aussi bien les grandes superficies. Malgré tout, ils suffisent généralement à fournir un éclairage d'ambiance autour d'un bassin. Quel que soit le système que vous choisissiez, il faut toujours vous assurer que les appareils, ampoules, raccords et boîtes de jonction sont destinés à un usage extérieur. L'éclairage extérieur étant soumis aux intempéries, le circuit doit être protégé par un disjoncteur de fuite à la terre. Vous devriez également vérifier les spécifications du code d'électricité en vigueur.

Les ampoules pour usage extérieur sont de différentes couleurs et intensités. Pour les systèmes standard et à basse tension, les ampoules au tungstène sont les moins chères et les plus faciles à trouver en différentes puissances. Celles qui sont le plus souvent utilisées pour l'éclairage extérieur possèdent une lentille plus épaisse et un réflecteur parabolique intégré (on les appelle ampoules PAR). Elles existent sous forme de spots, de projecteur à faisceau étroit ou large dans les deux versions, standard et à basse tension. Les ampoules halogènes de haute intensité, plus onéreuses, sont de plus en plus

utilisées pour l'éclairage extérieur car elles produisent davantage de lumière au watt que les ampoules au tungstène et elles ont une durée de vie plus longue. La lumière incandescente produite par ces ampoules est d'un blanc éclatant, clair et malgré tout naturel. Les autres ampoules de haute intensité sont celles à vapeur de mercure (blanc bleuté), au sodium (ambre) et aux halogénures (blanc intense éblouissant). En général, ces ampoules ne conviennent pas pour un éclairage d'ambiance naturel utilisé pour des bassins ; par contre, elles sont de loin supérieures aux ampoules au tungstène lorsqu'il s'agit d'illuminer tout le jardin. Pour l'éclairage sous l'eau, il faut utiliser des ampoules spéciales et des boîtiers étanches. Il se vend aussi des lentilles de couleur pour l'éclairage immergé ainsi que pour celui du jardin, qui permettent d'obtenir un effet féerique. Cependant, si vous décidez d'éclairer les plantes et les arbres avec des lentilles de couleur, il faudra les choisir avec soin pour ne pas donner aux feuillages une apparence artificielle.

L'emplacement des appareils d'éclairage

Il faut disposer les appareils d'éclairage de sorte à éviter toute lumière éblouissante à la surface de l'eau. On doit aussi éviter qu'ils ne soient dirigés directement dans les yeux des gens. La plupart des appareils d'éclairage extérieurs ont un but purement utilitaire et sont par conséquent totalement inesthétiques dans le jardin durant la journée ; il faut donc autant que possible les dissimuler. Vous pouvez les camoufler au milieu de végétaux bien touffus, sous le surplomb d'une terrasse, derrière le tronc ou dans le feuillage d'un arbre. Si de tels endroits n'existent pas, vous pouvez encastrer les appareils dans le sol. Il existe des luminaires spécifiquement destinés à cet usage. Ils se composent d'une ampoule et d'un réflecteur placés dans un boîtier étanche recouvert d'un grillage métallique ou d'une plaque de plexiglas. Si vous encastrez dans le sol des appareils d'un autre type que celui-ci, construisez le trou de sorte qu'il ne se remplisse pas d'eau

lorsqu'il y a des pluies abondantes. Les fils et les gaines peuvent être enfouis sous terre mais les boîtes de jonction et les transformateurs requis pour les systèmes à basse tension doivent être placés au-dessus du sol. Durant la journée, les appareils au fini noir ou vert foncé se verront moins dans le jardin que ceux qui ont un fini blanc ou métallique.

Faire un plan du site

Si vous choisissez un emplacement pour le bassin tout en prévoyant laisser le reste de l'aménagement à peu près dans son état actuel, vous n'avez pas besoin de faire un plan du site. Cependant, un bassin fait parfois partie d'un projet d'aménagement paysager plus important au cours duquel on envisage d'ajouter, d'enlever ou de déplacer des végétaux et d'autres éléments. Dans ce cas-ci, il est bon de faire un plan du site pour vous aider (et aider toute personne concernée par le projet) à visualiser les conséquences du bassin sur l'ensemble de l'aménagement. Le plan peut également servir de guide à partir duquel l'architecte ou le concepteur paysagiste élaborera ses croquis définitifs qu'il soumettra au service des travaux publics, si besoin est.

Pour réaliser le plan du site, vous aurez besoin de papier quadrillé pour obtenir un plan de base à l'échelle (en principe, 1 cm équivaut à 1 m [1/4 po équivaut à 1 pi]) et du papier calque. Si vous possédez le certificat de localisation de votre propriété, il pourra aussi servir de plan de base. Si vous ne possédez pas ce document, servez-vous d'un grand mètre à ruban pour mesurer les dimensions du lot (ou de la partie qui va être aménagée) et pour situer les différents éléments déjà existants qui en font partie (maison, terrasses, dépendances, arbres, arbustes, etc.). Voici comment procéder :

1 Indiquer les limites de la propriété. Sur le papier quadrillé, indiquez les limites de la propriété tel qu'il est illustré. Si une partie seulement de la propriété est réaménagée (la cour arrière par exemple), il n'est pas nécessaire d'inclure le lot au complet. Indiquez le nord ainsi que la direction des vents dominants l'été et l'hiver.

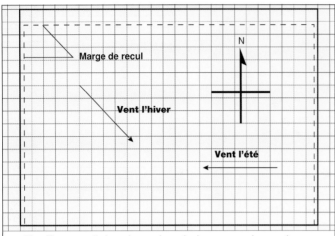

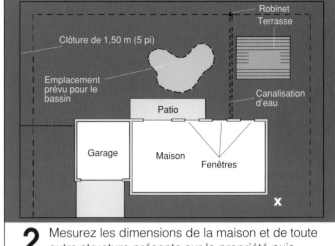

1 Tracez d'abord un plan de base sur du papier quadrillé. Indiquez les limites de la propriété, le nord et la direction des vents dominants.

2 Mesurez les dimensions de la maison et de toute autre structure présente sur la propriété puis reportez-les sur le plan.

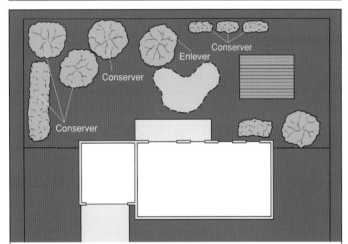

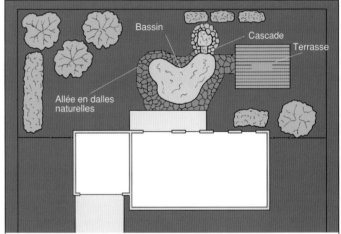

3 Indiquez l'emplacement de tous les végétaux d'importance ; notez ceux que vous voulez conserver et ceux que vous voulez enlever.

4 Fixez un calque de superposition sur le plan de base et dessinez-y tout nouvel élément, y compris le bassin et les matériaux utilisés pour les alentours.

Vérifiez auprès du service des travaux publics à quelle distance minimum des limites de la propriété le bassin ou toute autre structure rapportée doit se trouver ; indiquez ces nouvelles limites en pointillé sur votre plan.

2 Indiquer les structures déjà existantes. En partant d'un coin de la façade de la maison (indiqué par un X sur le croquis), mesurez les dimensions de la maison et reportez-les sur le plan. Encore une fois, si une seule cour (arrière, avant ou latérale) est concernée, vous n'indiquez que le côté de la maison qui lui fait face. Indiquez l'emplacement des portes et fenêtres présentes sur le mur qui fait face au bassin. Mesurez et indiquez l'emplacement des autres bâtiments ou structures permanentes telles que patios, terrasses, clôtures et allées pavées. Indiquez également tout

système souterrain ou aérien comme les canalisations d'eau et d'électricité, et les fosses septiques.

3 Indiquer la végétation. Indiquez l'emplacement des arbres, arbustes et autres plantations importantes. Précisez lesquels vont être conservés et lesquels vont être enlevés ou déplacés. Le cas échéant, indiquez l'ombrage fait par les arbres, grands arbustes, clôtures ou autres éléments situés à proximité du bassin.

4 Indiquer l'emplacement du bassin sur un calque de superposition. Sur un morceau de papier calque, dessinez le bassin avec sa taille et sa position exactes. Ajoutez les matériaux utilisés pour la margelle, une cascade (le cas échéant) et d'autres éléments prévus dans le nouvel aménagement tels qu'allées, zones de végétation et nouvelles plantations, et fontaines.

Indiquez aussi le trajet emprunté par les nouvelles canalisations d'eau et d'électricité pour arriver au bassin. Servez-vous d'autant de calques de superposition que nécessaire pour obtenir un plan représentatif. Dessinez soigneusement les calques définitifs et fixez-les au plan de base. Au besoin, photocopiez le plan pour le montrer au service des travaux publics ou à quiconque est concerné par le projet.

Remarque : Si vous construisez un bassin hors terre ou un bassin situé sur un terrain en pente et retenu par un mur de soutien, vous devriez peut-être faire un ou plusieurs schémas en coupe. Ces croquis doivent inclure la profondeur du bassin, le type et l'épaisseur des matériaux utilisés pour la bordure du bassin, l'emplacement des paliers immergés où seront placées les plantes de berges et l'emplacement des installations éventuellement nécessaires (tuyaux, drain, pompe, filtre, etc.).

chapitre 2

Les types de bassins

Les toiles souples

Les toiles souples permettent de réaliser des bassins de toute forme et de toute dimension. Elles sont d'un coût raisonnable et d'une installation facile. Tel qu'il est expliqué page 24, vous creusez un trou pour le bassin, installez une sous-couche, étalez la toile dans le trou, remplissez le bassin d'eau, découpez la toile à la dimension voulue puis retenez le bord extérieur de la toile à l'aide de pierres. Ces toiles ressemblent aux feuilles de polyéthylène noir vendues dans les quincailleries mais elles sont beaucoup plus épaisses et durables. Les deux types de toiles les plus vendus actuellement sont faits soit de plastique PVC (polychlorure de vinyle) soit de caoutchouc synthétique (butylcaoutchouc ou EPDM). Les deux sont conçues pour être souples, extensibles et résistantes aux rayons ultraviolets. Les toiles en caoutchouc sont en général plus durables que les meilleures toiles en plastique mais elles sont chères. Les toiles en PVC se vendent en épaisseur 20 à 32 mil. Les toiles en butylcaoutchouc ou EPDM se vendent en épaisseur de 30 à 45 mil. Une toile plus épaisse coûtera plus cher mais durera aussi plus longtemps. Au bas de la gamme, une toile en PVC de 20 mil est censée durer de 5 à 7 ans ; une toile en PVC de 32 mil durera de 10 à 15 ans. Une toile en caoutchouc durera en général de 20 à 30 ans. La garantie du fabricant donne une bonne idée de la durée de vie de la toile. Vous devriez choisir une toile plus épaisse si vous vous attendez à avoir des visiteurs clandestins (animaux ou humains) dans le bassin, ou alors appliquez une couche de ciment de 2,5 à 5 cm (1 à 2 po) par-dessus la toile pour la protéger. Si vous envisagez d'élever des poissons, n'oubliez pas de mentionner que vous avez besoin d'une toile pour poissons car des substances chimiques toxiques risquent de s'échapper de certaines toiles.

Les toiles souples se vendent en différentes dimensions allant de 1,50 m (5 pi) à 9 x 15 m (30 x 50 pi). Certains fabricants offrent des dimensions sur mesure qui se vendent au mètre (ou au pied) carré. En assemblant deux feuilles à l'aide d'un ruban adhésif spécial (en vente chez le détaillant de toiles), vous pouvez créer un bassin d'à peu près n'importe quelle grandeur. On s'est même servi de ces toiles pour réaliser d'immenses lacs et réservoirs.

Les toiles souples risquent d'être percées par des pierres, du gravier, des racines d'arbres ou d'autres objets pointus présents dans le trou creusé pour le bassin. C'est pourquoi les consignes d'installation relatives aux toiles de plastique et de caoutchouc recommandent souvent de placer une couche de sable, du sous-tapis ou tout autre matériau similaire dans le trou avant d'étendre la toile. Le problème avec le sable, cependant, c'est qu'il n'épouse pas parfaitement les parois inclinées du bassin. De plus, le sable est plus coûteux et il est lourd à transporter, surtout dans le cas d'excavation pour de grands bassins. D'autres matériaux suggérés, comme du sous-tapis ou des vieux journaux, ont

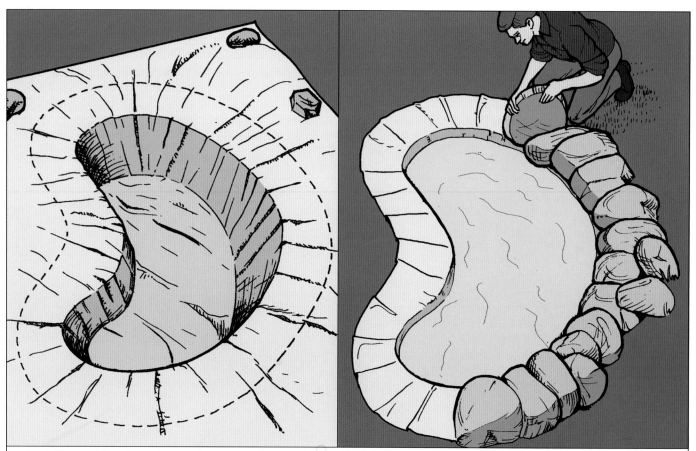

Les toiles souples. Ces toiles conviennent aux bassins de toute forme et de toute dimension. Des grosses pierres ou d'autres éléments de maçonnerie maintiennent la toile en place et masquent son rebord.

tendance à se détériorer à la longue et à perdre leur effet de rembourrage. La plupart des fournisseurs de toiles pour bassins offrent désormais un matériau (feutre géotextile) à la fois résistant et souple spécialement conçu pour servir de sous-couche aux toiles de bassins. On trouve aussi depuis peu sur le marché une toile épaisse de caoutchouc synthétique munie d'une sous-couche intégrée qui lui assure une garantie à vie contre les perforations.

Si vous creusez le trou dans un sol qui renferme des pierres ou des cailloux pointus, des racines d'arbres saillantes ou de la terre sujette à subir des mouvements en hiver, vous devez installer à la fois le sable et le feutre géotextile. En revanche, si la terre est stable, fine et exempte de pierres, il n'y a pas vraiment besoin de sous-couche.

Les toiles de plastique et de caoutchouc sont pratiques si vous envisagez de déménager après quelques années ou pour toute autre raison qui justifierait de construire un bassin temporaire. Vous n'aurez qu'à vider le bassin et à retirer la toile (voir page 74 comment vider le bassin). Vous pourrez réutiliser la toile en autant que vous ne l'aviez pas recouverte de ciment.

Les coques préfabriquées

Les coques rigides ou semi-rigides sont faciles à installer, comme on peut le voir page 34. Ces coques sont offertes en différentes tailles, formes et profondeurs. Bien qu'elles soient en général plus coûteuses que les toiles souples, elles sont aussi plus durables et résistantes aux perforations. Ces bassins peuvent durer de 5 à 50 ans, selon le matériau dont ils sont faits, leur épaisseur, leur qualité et les conditions de leur installation. En général, plus ils sont épais, plus ils durent longtemps et plus ils sont chers. Les coques les plus épaisses (6 mm [1/4 po] ou plus) peuvent s'installer au-dessus du niveau du sol en ne nécessitant que peu de support autour de leurs parois, en autant que leur fond repose sur une assise ferme. Comme pour tout autre produit ou à peu près, la qualité est directement proportionnelle au prix que vous payez. La garantie accordée par le fabricant donne une assez bonne idée de la durabilité d'une coque préfabriquée.

Les premiers bassins préfabriqués ont fait leur apparition sur le marché au milieu des années 1950. Ils étaient faits de polyester armé de fibre de verre, un matériau avec lequel on fabrique les spas, les coques de bateaux, les carrosseries d'automobiles et les auvents translucides de patios. Actuellement, les coques sont de plus en plus souvent faites en plastique moulé comme de l'ABS (acrylonitrile butadiène styrène) et différents polyéthylènes. Les coques en fibre de verre sont en général plus faciles à réparer que celles en plastique mais elles sont aussi plus cassantes. Quelle que soit la coque que vous achetiez, il faut vous assurer qu'elle est résistante aux rayons ultraviolets.

La plupart des fabricants offrent de 10 à 15 modèles de coques, dans des profondeurs allant de 20 à 45 cm (9 à 18 po) et d'une capacité de 100 à 2000 L (30 à 500 gal). Si vous voulez cultiver des nénuphars, le bassin doit avoir une profondeur minimale de 45 cm (18 po). Rappelez-vous que la coque aura l'air plus grande hors du sol qu'une fois installée.

Certaines coques comportent une cascade préfabriquée intégrée ; on peut également acheter une cascade préfabriquée séparée. De nombreuses coques sont munies de paliers à différentes profondeurs pour y installer des plantes aquatiques dans des contenants immergés. Quelques-unes présentent également un enfoncement sur leur pourtour pour des plantes de berges. Vous devrez dissimuler avec soin le rebord du bassin au moyen de pierres ou de tout autre matériau pour qu'il ait l'air naturel.

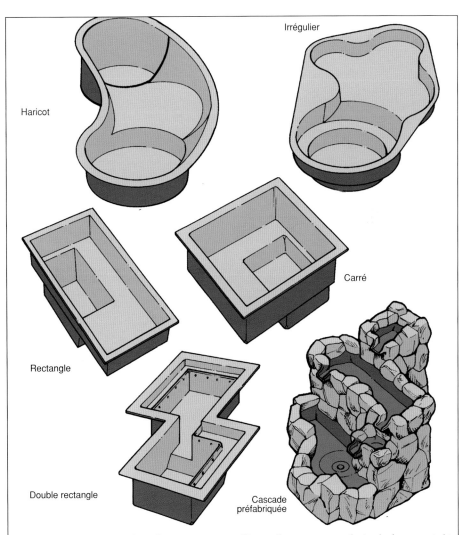

Les coques préfabriquées. Ces coques sont offertes dans un vaste choix de formes et de dimensions. Elles vous permettent de réaliser un bassin dans des délais assez rapides.

Les bassins en béton

Auparavant, presque tous les bassins, qu'ils soient classiques ou rustiques, étaient réalisés en béton coulé, en blocs de béton ou en un mélange des deux. Avec l'apparition des toiles souples et des coques préfabriquées, cependant, très peu de bassins sont désormais construits en béton.

Bien qu'un bassin en béton puisse durer toute une vie s'il est installé correctement, il ne tardera pas à se fissurer et à fuir s'il est au contraire mal installé. Pour bien couler un bassin en béton - même un petit -, il faut avoir de l'expérience dans ce domaine. C'est également une tâche très ardue physiquement. Un bassin de grande taille ou encore aux parois verticales ou étagées nécessitera un coffrage important. Dès qu'une fissure apparaît, il n'y a habituellement

aucun moyen de la réparer. La seule solution est de recouvrir le béton d'une toile souple (voir page 29).

Les bassins en béton reviennent beaucoup plus cher à installer que les toiles souples ou les coques préfabriquées, et ce, même si vous effectuez l'ouvrage vous-même. Si vous optez pour le béton, vous devriez faire appel à un entrepreneur en maçonnerie qui sait comment installer ce genre de construction en tenant compte des conditions climatiques de votre région. Les quelques conseils de base suivants vous aideront à discuter en toute connaissance de cause avec l'entrepreneur.

Sous un climat froid, le bassin de béton doit faire au moins 15 cm (6 po) d'épaisseur et doit avoir des barres d'armature ou du treillis métallique de

1,2 cm (1/2 po) pour résister au gel et au dégel (consultez le code du bâtiment pour connaître les normes requises pour le renforcement). Sous un climat plus doux, le bassin peut avoir de 7 à 10 cm (3 à 4 po) d'épaisseur, selon la nature du sol.

Le béton frais peut dégager de la chaux dans l'eau du bassin. Il faut donc neutraliser cette chaux avec des produits chimiques ou encore peindre le bassin avant d'y mettre poissons et plantes. On peut peindre du béton avec de la peinture à piscine à base de caoutchouc et créer différents effets : des tons de terre pour un aspect naturel ; du blanc, du bleu ou du turquoise pour une apparence plus sophistiquée ; ou des couleurs sombres pour une impression de « sans fond ».

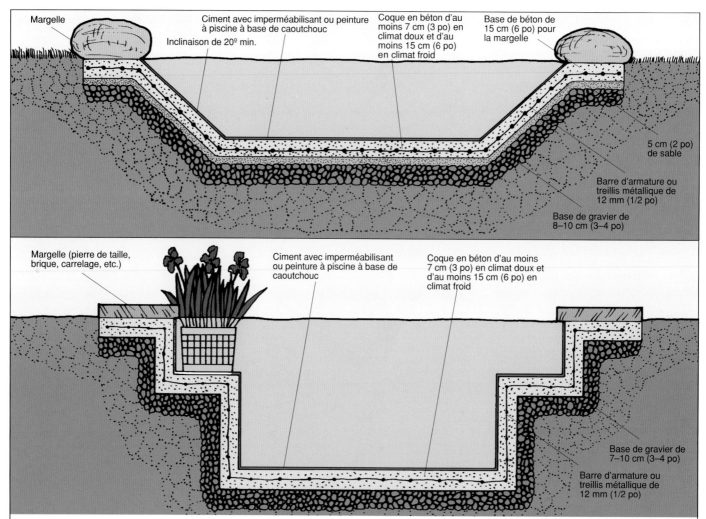

Les bassins en béton. La coque d'un bassin en béton doit être convenablement renforcée pour ne pas se fissurer. Si les parois présentent une inclinaison de 20° ou plus, il n'y a pas besoin de coffrage (en haut). Un bassin en béton de style classique aux parois verticales nécessite un coffrage élaboré qu'il est préférable de faire faire par un professionnel (en bas).

Les autres possibilités

Les bassins en kit. Certains fabricants proposent des kits qui comprennent une coque rigide ou une toile souple ainsi qu'une pompe, un filtre et, dans certains cas, un jet de fontaine ou une cascade autonome, des paniers de plantation ainsi que les produits pour le traitement de l'eau nécessaires pour démarrer. Si vous trouvez un modèle à votre goût, ces kits ont de bien meilleures chances d'être installés avec succès que des éléments séparés car on vous garantit que tout est conçu pour fonctionner ensemble. Toutefois, ces kits sont habituellement pour des bassins de petite taille.

Les jardins d'eau en bac. Si vous souhaitez posséder un jardin d'eau miniature sans avoir le tracas de construire un bassin, vous pouvez placer quelques plantes aquatiques et des petits poissons dans de grands contenants. Un jardin d'eau en bac est très décoratif sur une terrasse, un patio, une véranda et dans une platebande. Il existe des contenants préfabriqués mesurant jusqu'à 90 cm (36 po) de diamètre. Des demi-tonneaux font aussi l'affaire si on les double d'une toile souple de plastique ou de caoutchouc, de même que de grands pots en plastique ou en terre cuite, et n'importe quel grand récipient qui est étanche et

ne rouille pas. Plein de gens ont même réussi à créer des jardins d'eau dans de vieilles baignoires sur pieds ! Vous pouvez aussi utiliser une grande jardinière en bois ; il suffit de la doubler d'une toile de plastique ou de caoutchouc et de la remplir d'eau.

Profondeur et capacité du bassin

Les bassins de jardin les plus réussis ont une profondeur allant de 45 à 60 cm (18 à 24 po). Les très petits bassins (entre 0,5 et 1 m² [5 à 10 pi²]) peuvent être aussi peu profonds que 30 cm (12 po) ; les très grands bassins (46 m² [500 pi²] ou plus) peuvent avoir une profondeur allant jusqu'à 90 cm (36 po). On considère qu'une profondeur de 45 à 60 cm (18 à 24 po) est idéale pour cultiver des nénuphars et d'autres plantes aquatiques ; elle suffit également pour la plupart des espèces de poissons et autres organismes aquatiques. De plus, sauf dans les climats très froids, une profondeur de 60 cm (24 po) suffit pour empêcher le bassin de geler jusqu'au fond, ce qui tuerait les poissons ou endommagerait la coque du bassin. Si vous habitez dans une région aux hivers très rigoureux, vous devriez demander aux jardiniers paysagistes locaux quelles sont les profondeurs conseillées pour votre région.

Si vous installez un bassin à l'intention de koï, les carpes japonaises, vous devez prévoir une zone qui ait au moins 1 m (3 pi) de profondeur pour que les poissons puissent se mettre à l'abri de la chaleur en été et de l'eau gelée en hiver (voir page 71). Les petits bassins, peu profonds (moins de 45 cm [18 po] de profondeur) se réchauffent et se refroidissent plus rapidement que les bassins grands et profonds. Ces variations de température extrêmes risquent de stresser les poissons. Les bassins peu profonds sont aussi plus enclins à avoir une multiplication excessive d'algues par temps chaud. Dans les climats extrêmement rigoureux, l'eau risque de geler jusqu'au fond, ce qui tuera plantes et poissons. Cependant, certaines plantes (en particulier les plantes de berges) se contentent d'une eau encore moins profonde que la profondeur recommandée. Vous pouvez donc aménager un palier sur le pourtour du bassin, où cultiver des plantes aquatiques. Vous pouvez également mettre les végétaux dans des contenants et les surélever dans le bassin même, en les posant sur des briques ou des pierres, tel qu'il est expliqué page 68 (pour plus de détails sur l'introduction de plantes et de poissons dans le bassin, voir page 67).

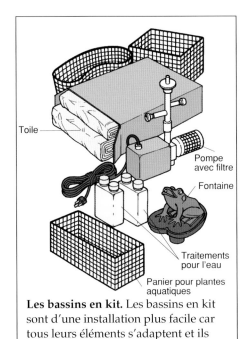

Toile
Pompe avec filtre
Fontaine
Traitements pour l'eau
Panier pour plantes aquatiques

Les bassins en kit. Les bassins en kit sont d'une installation plus facile car tous leurs éléments s'adaptent et ils s'accompagnent d'instructions simples.

Les jardins d'eau en bac. Vieilles baignoires, pots en plastique ou en terre cuite, et jardinières en bois sont parmi les contenants originaux que l'on peut utiliser pour créer un jardin d'eau.

La capacité du bassin

Il est important de connaître la capacité du bassin pour déterminer le débit d'une pompe et d'un filtre, ou les doses de traitements chimiques. La meilleure manière de calculer la capacité du bassin est de fixer un débitmètre au robinet ou à la ligne d'adduction d'eau et de simplement relever le volume d'eau utilisé pour remplir le bassin. Si vous ne disposez pas de débitmètre, vous pouvez fonctionner de la façon suivante : Ouvrez le tuyau d'arrosage selon un débit régulier et calculez combien de temps (t) il faut pour remplir un seau de 20 L. Le débit s'obtient en divisant la capacité du seau (20 L) par le temps (minutes) requis pour le remplir (t). Pour estimer la capacité du bassin, calculez combien de temps (minutes) il faut pour le remplir et multipliez-le par le débit calculé.

S'il n'est pas pratique de remplir le bassin d'eau, vous pouvez calculer sa capacité en appliquant une des formules ci-dessous qui supposent que les parois du bassin sont droites (ou légèrement inclinées) et que le fond est plat (et non bombé).

Bassin rectangulaire ou carré :

Mesurez sa profondeur, sa largeur et sa longueur en mètres. Multipliez ces trois dimensions pour obtenir le volume en mètres cubes puis multipliez par 1000 pour obtenir la capacité en litres (ou bien multipliez les trois dimensions mesurées en pieds et multipliez le résultat par 7,5 pour obtenir la capacité en gallons).

Bassin rond : Mesurez son rayon R et sa profondeur P en mètres, et appliquez la formule : R x R x P x 3,14 pour obtenir la capacité en mètres cubes puis multipliez par 1000 pour obtenir la capacité en litres (ou bien calculez les paramètres en pieds : 2R x 2R x P x 5,9 pour avoir la capacité en gallons).

Bassin ovale : Mesurez le diamètre le plus court (A) et le diamètre le plus long (B) ainsi que la profondeur P, appliquez la formule : 1/2 A x 1/2 B x P x 3,14 puis multipliez par 1000 pour obtenir la capacité en litres (ou bien A x B x P x 6,7 pour obtenir la capacité en gallons).

Bassin de forme irrégulière : Il est difficile de calculer avec exactitude la capacité d'un bassin de forme irrégulière. Le mieux, c'est de mesurer son diamètre le plus petit et son diamètre

le plus grand et d'appliquer la formule d'un bassin ovale donnée ci-dessus.

Le fond du bassin

Quel que soit le matériau dont est fait le bassin et quelle que soit la forme qu'il va prendre, il est préférable qu'il ait des parois inclinées plutôt qu'une forme bombée peu profonde. Il contiendra ainsi davantage d'eau et sera en outre plus esthétique. Dans les très grands bassins, vous pouvez inclure des zones d'eau peu profonde pour y planter certains végétaux ou observer les poissons. Dans tous les cas, le fond du bassin ne doit pas être parfaitement plat. Créez une légère inclinaison en direction d'un puisard dans lequel pourront s'accumuler la terre et les débris et qui facilitera le nettoyage. Dans certains bassins, le puisard contient un drain ou une pompe submersible destinés à améliorer la circulation de l'eau.

15–25 cm (6–9 po) Plantes de berges

30–45 cm (12–18 po) Nénuphars petits/moyens

60–90 cm (24–36 po) Grands nénuphars, poissons

Pompe/Filtre

Puisard

Inclinaison

Le fond du bassin. Des paliers situés à différentes profondeurs permettent d'introduire une variété de plantes aquatiques. Le fond est incliné en direction du puisard pour faciliter le nettoyage.

Réglementations municipales et sécurité

Tout plan d'eau, quelle que soit sa profondeur, représente un danger pour les enfants en bas âge. De nombreuses municipalités se sont dotées de règlements qui exigent que les bassins d'une certaine dimension ou profondeur (en général 45 cm [18 po] de profondeur) soient entourés d'un muret ou d'une clôture qui empêche les enfants du voisinage de se promener autour du bassin. Si votre famille comprend de jeunes enfants, songez à entourer le bassin d'une clôture métallique temporaire et d'un portillon qui se verrouille. Vous pouvez aussi préférer reporter la construction d'un bassin jusqu'à ce que les enfants soient en âge d'apprendre les règles de sécurité. Rappelez-vous qu'il est de votre responsabilité d'empêcher l'accès aux enfants du voisinage, que ce soit en érigeant une clôture autour du bassin ou même autour de tout le jardin.

Il se peut que le service des travaux publics de votre région ait des réglementations ou des normes particulières quant à la dimension et au modèle du bassin. Dans certains cas, il faut même obtenir un permis de construction et faire effectuer une inspection. Si vous amenez l'électricité vers le bassin, pour une pompe et de l'éclairage, vous aurez peut-être besoin d'un permis d'électricité spécial. De nombreuses municipalités exigent que tout ouvrage électrique impliquant l'eau ou une installation extérieure soit effectué par un électricien professionnel. Nous vous conseillons fortement de suivre ce principe même s'il n'est pas obligatoire dans votre région. Pour ce genre d'ouvrage, assurez-vous de choisir un électricien expert dans le domaine. Les détaillants en piscines seront en mesure de vous conseiller.

chapitre 3

Les toiles souples

Mesurer la toile

Les toiles souples sont offertes en stock en différentes grandeurs, et sur commande pour des dimensions plus grandes. Certains centres de jardin tiennent de grands rouleaux de toile dans des largeurs standard : vous prenez simplement la longueur dont vous avez besoin. Voici comment mesurer la quantité de toile nécessaire :

1 **Tracer le contour.** Après avoir éliminé du site toute végétation ou autre obstacle gênant, tracez le contour du bassin sur le sol. Pour un bassin de forme irrégulière, délimitez le pourtour au moyen d'une corde ou d'un tuyau d'arrosage. Pour un carré ou un rectangle, servez-vous de tasseaux, de piquets et de ficelle et appliquez la théorie du triangle rectangle pour vous assurer d'obtenir des angles droits. À partir de chaque coin, mesurez le long d'une des ficelles une distance de 90 cm (ou 3 pi) ; le long de l'autre, mesurez une distance de 1,2 m (ou 4 pi). Indiquez ces distances sur les ficelles à l'aide d'une craie ou d'un morceau de ruban adhésif. Ajustez les ficelles sur les planchettes jusqu'à ce que la diagonale entre les deux points mesure 1,5 m (ou 5 pi).
Pour les bassins circulaires, réalisez un « compas » à l'aide d'un piquet, d'une ficelle solide ou d'une corde, et d'un bâton pointu, un tournevis ou tout autre objet en pointe. Dessinez le contour du bassin sur la terre et marquez-le avec de la farine, de la poudre de gypse, de la peinture de marquage ou un tuyau d'arrosage.

2 **Mesurer le bassin.** Mesurez la longueur et la largeur hors tout du bassin puis dessinez le rectangle le plus petit dans lequel tiendrait la surface du bassin.

3 **Calculer les dimensions de la toile.** Pour tenir compte de la profondeur du bassin, choisissez la profondeur maximale du bassin (ordinairement 60 cm [24 po]), multipliez-la par deux et ajoutez ce nombre à la largeur et à la longueur du rectangle. Pour tenir compte des rebords, ajoutez 60 cm (24 po) de plus à la largeur et à la longueur de la

1 Tracez la forme du bassin sur le sol. Pour les formes irrégulières, servez-vous d'un tuyau d'arrosage ou d'une corde. Pour les bassins carrés ou rectangulaires, utilisez des tasseaux et de la ficelle. Pour les bassins ronds, servez-vous d'une corde, d'un piquet et d'un bâton pointu en guise de compas.

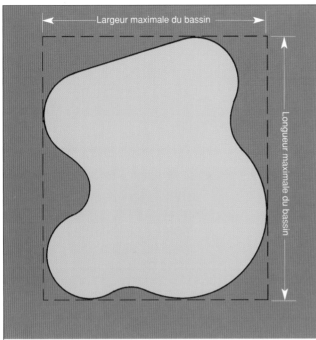

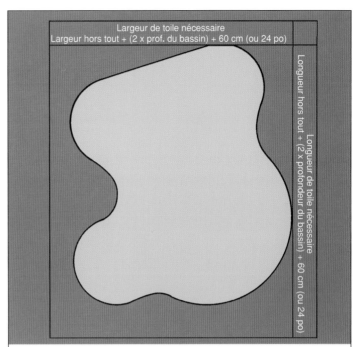

2 Après avoir tracé le contour du bassin sur le sol, mesurez la largeur et la longueur maximales du bassin.

3 Ajoutez deux fois la profondeur du bassin à chacune des dimensions, puis ajoutez 60 cm (2 pi) et vous obtiendrez les dimensions de la toile.

toile, ce qui donnera 30 cm (12 po) de rebord tout autour du bassin une fois la toile installée.

Exemple : Le bassin mesure 60 cm (24 po) de profondeur et il tient dans un rectangle de 3 x 3,60 m (10 x 12 pi). Pour calculer la largeur de la toile, additionnez 3 m (10 pi) [la largeur] plus 1,20 m (4 pi) [2 fois la profondeur] plus 60 cm (2 pi) [pour le rebord], ce qui donne un total de 4,80 m (16 pi). Pour calculer la longueur de la toile, additionnez 3,60 m (12 pi) [la longueur] plus 1,20 m (4 pi) [2 fois la profondeur] plus 60 cm (2 pi), ce qui donne un total de 5,40 m (18 pi). Pour un bassin de 3 x 3,60 m (10 x 12 pi), vous aurez donc besoin d'une toile de 4,80 m x 5,40 m (16 x 18 pi). Notez que dans le cas d'un bassin de forme irrégulière, il vous faudra tailler le surplus de toile afin d'avoir un rebord régulier tout autour du bassin.

Installer la toile

L'installation d'une toile en vinyle nécessite quatre étapes essentielles : creuser un trou, étendre la toile, remplir le bassin d'eau et ajouter des pierres ou toute autre bordure sur le pourtour du bassin. L'opération comporte néanmoins quelques autres étapes qui

ne sont pas énumérées ici et qui seront décrites dans les pages suivantes. Selon vos besoins particuliers, il se peut que vous puissiez sauter certaines de ces étapes.

1 **Enlever le gazon.** Si vous placez le bassin dans une aire gazonnée, à l'aide d'une pelle plate, enlevez le gazon par plaques ou par bandes à l'emplacement du bassin ainsi que sur une largeur d'environ 15

1 Si le bassin est situé dans une aire gazonnée, enlevez le gazon à l'emplacement du bassin ainsi que sur une largeur d'environ 15 à 30 cm (6 à 12 po) au-delà de son pourtour.

à 30 cm (6 à 12 po) au-delà de son pourtour. Au besoin, reformez le contour du bassin.

2 Creuser des paliers pour les plantes d'eau peu profonde.

Cette étape est facultative. Si le pourtour du bassin doit comporter des paliers de faible profondeur, creusez-les. En principe, ils mesurent de 30 à 40 cm (12 à 16 po) de large et ont une profondeur de 20 à 30 cm (9 à 12 po) à partir du bord de l'excavation. Creusez d'abord toute la surface du bassin à la profondeur prévue pour le palier. Tassez bien la terre du palier avec un compacteur (on peut louer des outils manuels ou mécaniques dans les magasins de location d'outils). À l'aide d'une planche et d'un niveau à bulle, vérifiez si le palier est de niveau sur tout le pourtour du bassin. Creusez ensuite le reste du bassin à la profondeur maximale voulue en donnant aux parois une inclinaison, tel qu'il est expliqué à l'étape 3.

3 Creuser le trou.
Creusez d'abord sur le pourtour du palier à une profondeur correspondante au fer de la pelle (20 à 30 cm [9 à 12 po]). Enlevez la terre, par couches, jusqu'à obtenir la profondeur finale. Vérifiez souvent la profondeur avec un mètre à ruban ou une règle et une longue planche, tel qu'il est illustré. Les parois doivent avoir une inclinaison d'environ 20°. Dans un sol meuble ou sablonneux, les parois peuvent avoir une pente plus douce. Donnez au fond du trou une inclinaison de 1 à 3 cm/m (1/2 à 1 po/pi) en direction du centre ou d'une extrémité du bassin. Au point le plus bas, creusez un puisard peu profond (15 à 20 cm [6 à 8 po]) qui facilitera la vidange du bassin.

4 Creuser un rebord pour le matériau de la bordure.
À l'aide d'une pelle plate, creusez un rebord de 30 à 40 cm (12 à 15 po) de large tout autour du bassin sur lequel viendront se poser les matériaux formant la bordure. Donnez au rebord une profondeur qui tiendra compte de l'épaisseur de la bordure ajoutée à celle du feutre ou autre sous-couche (si vous scellez les pierres, assurez-vous d'ajouter l'épaisseur du mortier, soit environ 5 à 7 cm [2 à 3 po]). Tel qu'il est illustré, la bordure doit déborder d'au moins 2,5 cm (1 po) sur le terrain pour empêcher les eaux de

2 Si le bassin est muni de paliers de faible profondeur, creusez la terre à la profondeur des paliers, tassez la terre à cet endroit avec un compacteur puis creusez la partie profonde du bassin.

3 Creusez le trou à la profondeur voulue. Tout en creusant, vérifiez la profondeur au moyen d'une longue planche et d'un mètre à ruban.

Margelle

Feutre géotextile

4 Servez-vous d'une pelle plate pour creuser un rebord tout autour du bassin, qui va recevoir la margelle.

5 Pour les petits bassins, servez-vous d'une planche et d'un niveau à bulle pour mettre les bords du bassin à niveau, tel qu'il est illustré ici. Pour les plus grands bassins, plantez des piquets sur le pourtour du bassin et mettez le sommet des piquets à niveau.

6 Tassez le sable dans le trou pour protéger la toile. Vous pouvez aussi utiliser un feutre géotextile.

ruissellement de se déverser dans le bassin. Tenez compte aussi du fait qu'il est plus esthétique que la bordure surplombe le bassin de quelques centimètres (pouces).

5 Vérifier l'horizontalité des bords. Une fois que le bassin sera rempli, le niveau de l'eau indiquera rapidement s'il y a une partie du bord plus haute ou plus basse. Pour les petits bassins, placez une longue planche en travers de l'excavation, chaque extrémité reposant sur le rebord destiné à la bordure. Posez un niveau sur la planche puis déplacez la planche à différents endroits dans le sens de la largeur et de la longueur du bassin pour vérifier l'horizontalité. Au besoin, creusez les endroits trop hauts (ou ajoutez de la terre aux endroits trop bas) jusqu'à ce que le bord du bassin soit entièrement de niveau.
Pour vérifier un grand bassin, enfoncez des petits piquets ou des chevilles à des intervalles de 0,90 à 1,20 m (3 à 4 pi) sur le pourtour du bassin. Vérifiez le niveau des piquets à l'aide d'un long niveau à bulle ou d'un petit niveau posé sur une planche. Mesurez de quelle longueur le piquet dépasse du sol. Si chaque piquet dépasse de la même longueur, le pourtour est de niveau.

6 Préparer le trou. Inspectez soigneusement le trou à la recherche de pierres pointues ou de racines saillantes et enlevez-les. Posez un sous-tapis ou un lit de 5 à 7 cm (2 à 3 po) de sable mouillé dans le fond du bassin ainsi que dans les paliers formés à même les parois du bassin. Tassez aussi du sable mouillé sur les espaces vides présents sur les parois,

là où vous avez retiré de grosses pierres par exemple. Si le sol est très caillouteux ou couvert de racines, étendez un feutre géotextile comme protection supplémentaire (voir page 18).

7 Placer la toile. Choisissez une journée chaude et ensoleillée pour mettre la toile en place. Pour la rendre plus élastique et plus facile à

7 Étendez la toile dans le trou et maintenez les bords à l'aide de pierres. Commencez à remplir le bassin.

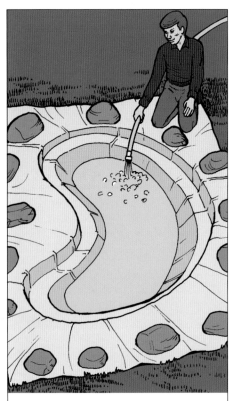

manipuler, réchauffez-la quelques minutes en l'étalant sur un pavage réchauffé par le soleil. Avec l'aide d'une ou de deux personnes, étendez la toile lâchement dans le trou en gardant un rebord égal de tous les côtés. Retenez les bords avec quelques pierres plates et lisses ou des briques. Évitez de traîner la toile sur le sol, ce qui pourrait la percer. Une fois la toile en place, commencez à remplir le bassin d'eau.

8 **Ajuster la toile.** À mesure que le bassin se remplit d'eau, ajustez la toile pour qu'elle épouse les parois du bassin ; lissez autant que possible les plis. Les plis importants situés dans les coins peuvent être étirés puis repliés pour les rendre moins visibles. À mesure que le bassin se remplit, retirez de temps en temps une pierre pour éviter de trop étirer la toile.

9 **Couper l'excédent de toile.** Une fois le bassin rempli, coupez l'excédent avec des gros ciseaux ou un couteau. Laissez suffisamment de toile sur le pourtour du bassin, que vous replierez vers l'intérieur, et quelques dizaines de centimètres (pouces) entre le bord du bassin et cette marge, qui vont être recouverts par les pierres de la bordure. Pour maintenir la toile en place pendant que vous installez la bordure,

plantez des clous de 10 cm (4 po) à peu près tous les 30 cm (1 pi) sur le pourtour du bassin.

10 **Ajouter le matériau de la bordure.** Si vous utilisez des pierres naturelles (rondes ou plates, par exemple), faites plusieurs essais jusqu'à trouver l'arrangement qui fait le plus naturel. Bien qu'elles soient grosses, les pierres plates ou les dalles de maçonnerie peuvent être placées directement sur la toile. Vous devez les placer correctement pour qu'elles ne glissent pas dans le bassin. Il est en général préférable de cimenter les pierres dans un lit de mortier de 5 à 7 cm (2 à 3 po), renforcé de treillis métallique ou de lattes de métal. Vous pouvez acheter du mortier prémélangé ou faire vous-même votre mélange. Le mélange consiste normalement en 1 mesure de ciment, 1/4 de mesure de chaux éteinte et 3 mesures de sable. Si vous prévoyez une circulation dense sur la margelle du bassin, coulez une base de 10 cm (4 po) de béton armé sous les pierres. Laissez le mortier sécher (environ une semaine) puis frottez la margelle avec du vinaigre distillé pour neutraliser la chaux présente dans le mortier. Videz ensuite le bassin, nettoyez la toile et remplissez le bassin avec de la nouvelle eau (voir page 74 comment vider un bassin).

8 Pendant que le bassin se remplit, étirez la toile pour éliminer les plis ; repliez soigneusement l'excédent de toile. Retirez les pierres à mesure que l'eau moule la toile dans le trou.

Clous de 10 cm (4 po)

30 cm (12 po)

9 Une fois le bassin rempli, maintenez le bord de la toile avec de grands clous. Coupez l'excédent de toile aux ciseaux et gardez les retailles pour des réparations ultérieures.

10 Placez les pierres de la margelle sur le pourtour du bassin. Cimentez-les pour les empêcher de bouger.

La toile par-dessus le béton.

Dans certaines situations, on peut associer le béton à une toile souple de plastique ou de caoutchouc pour avoir le meilleur des deux matériaux. Par exemple, on peut couler un mur de soutien en béton sur les parois du bassin pour donner plus de support à la toile - en particulier sur un sol meuble ou friable où les parois ont tendance à s'affaisser à cause du coulage du sol sous la toile. Un mur de soutien en béton vous permet de réaliser des parois plus abruptes et de placer des pots de grande taille ou bien lourds sur les paliers de faible profondeur. La toile étant déjà étanche, le béton n'a pas besoin d'être hydrofuge et des fissures mineures ne causeront pas de fuite. Vous pouvez aussi associer les toiles à une semelle épaisse en béton. Elle pourra supporter de grosses pierres placées sur le pourtour du bassin ou servira de base à un patio de brique ou de pierre ou encore à une allée autour du bassin. Quand vous effectuez l'excavation pour le bassin, laissez de l'espace pour construire (au besoin) des coffrages en bois pour les murs de soutien et les semelles en béton. Si vous n'avez pas d'expérience dans ce domaine, vous devriez engager un entrepreneur en maçonnerie pour exécuter cet ouvrage.

Le ciment par-dessus la toile.

Une mince couche de mélange de ciment plastique (1 mesure de ciment plastique pour 4 mesures de sable) appliquée par-dessus la toile la protégera des rayons ultraviolets ainsi que des perforations causées par des visiteurs inopinés. Le ciment plastique renferme des additifs au latex qui le rendent très résistant aux craquements (la plupart des quincailleries tiennent cet article). Vous pouvez à votre gré ajouter au ciment des colorants et différentes textures en le lissant au pinceau ou à la truelle. Après avoir installé la toile (voir page 25), recouvrez-la d'une armature en treillis métallique (grillage de basse-cour) puis tassez à la main une couche de ciment de 2,5 cm (1 po) sur toute la surface du bassin (portez des gants robustes pour cet ouvrage). Commencez à tasser le ciment à la base de la paroi en remontant jusqu'en haut par sections de 2 m (6 pi) de long. Une fois les parois recouvertes, faites le fond du bassin. Lissez la surface au pinceau ou à la truelle puis laissez le ciment durcir (environ 10 à 12 heures ou jusqu'au lendemain). Une fois le ciment durci, remplissez le bassin. Ajoutez 4 L (1 gal) de vinaigre blanc distillé pour 400 L (100 gal) d'eau et laissez le liquide agir pendant une semaine (le vinaigre sert à neutraliser la chaux qui se dégage du ciment). Videz le bassin, rincez-le à grande eau puis remplissez-le de nouveau avec de l'eau fraîche (voir page 74 comment vider un bassin). Vérifiez le pH de l'eau (voir page 63) avant d'ajouter des poissons ou des plantes. Si l'eau est trop alcaline, répétez le traitement au vinaigre.

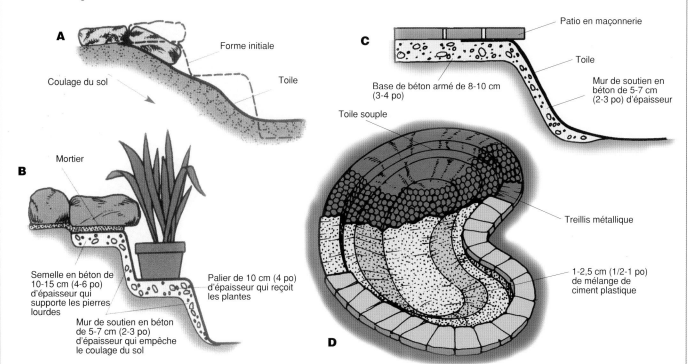

A. Sur un sol meuble ou sablonneux, le coulage provoque l'affaissement des parois. **B.** Un mur de soutien en béton empêche le coulage du sol et sert de support pour la margelle lourde et les paliers pour les plantes. **C.** Une base en béton sert de support pour un patio ou une allée en maçonnerie, contigus au bassin. **D.** Une mince couche (2,5 cm [1 po]) de ciment plastique protège la toile souple des rayons UV et des perforations.

Construire un bassin hors terre avec une toile souple

Les toiles souples conviennent aussi pour l'intérieur d'un bassin construit hors terre. Les parois peuvent être en bois, en briques cimentées, en blocs de béton ou en tout autre matériau qui fournit à la toile un support ferme. Vous pouvez construire un contour en maçonnerie posé sur une semelle en béton (informez-vous quant à la profondeur exigée pour la semelle).

Ou bien vous pouvez installer un cadre en bois directement sur le sol. Dans les deux cas, le fond du bassin peut consister simplement en une couche de 2,5 à 5 cm (1 à 2 po) de sable mouillé tassé ou de terre fine qui va protéger la toile des perforations. Si vous optez pour le cadre en bois, servez-vous de bois traité sous pression ou de séquoia pour éviter le pourrissement. Ne prenez pas des planches rugueuses qui pourraient percer la toile.

Le bassin hors terre illustré ici se compose d'un cadre en bois mesurant 1,8 x 2,4 m (6 x 8 pi) et 50 cm (20 po)

environ de hauteur. Il fournira une profondeur d'eau d'environ 40 cm (16 po). Chaque côté se compose de deux planches de 2 x 10. En changeant la largeur et le nombre de planches utilisées pour construire les côtés, vous pouvez modifier la profondeur du bassin mais pour des raisons pratiques, la profondeur ne devrait pas dépasser 60 cm (24 po). De plus, la longueur et la largeur du bassin ne devraient pas dépasser 2,40 m (8 pi), sinon les planches risquent de se gondoler sous le poids de l'eau.

1 **Bâtir les côtés.** Coupez les quatre tasseaux du milieu de 1 x 4, à 43 cm (17 po) de longueur. Assemblez deux planches de 2 x 10 de 2,40 m (8 pi) tel qu'il est illustré. Posez un tasseau en travers des planches en faisant affleurer une de ses extrémités avec le bord d'une des planches. Fixez le tasseau à l'aide de vis à patio galvanisées de 5 cm (2 po). Répétez l'opération pour les quatre côtés.

2 **Assembler les côtés.** Choisissez un emplacement plat pour votre bassin puis assemblez les côtés. Fixez les côtés avec quatre vis à patio

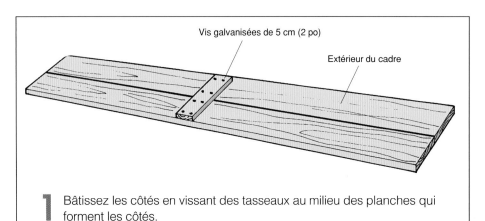

Vis galvanisées de 5 cm (2 po)

Extérieur du cadre

1 Bâtissez les côtés en vissant des tasseaux au milieu des planches qui forment les côtés.

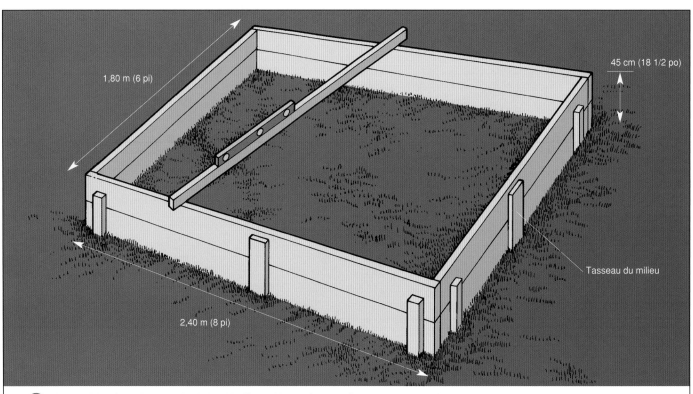

1,80 m (6 pi)

45 cm (18 1/2 po)

2,40 m (8 pi)

Tasseau du milieu

2 Assemblez les côtés à plat joint. Vérifiez si le cadre est d'équerre et de niveau.

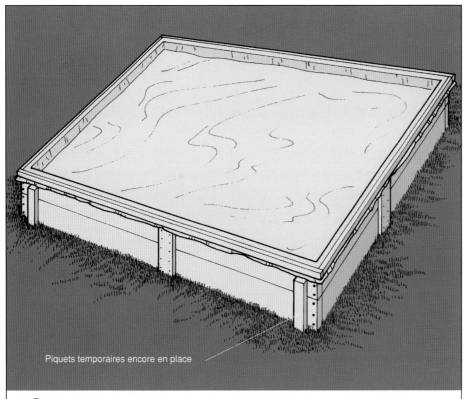

Piquets temporaires encore en place

3 Remplissez la toile d'eau et assemblez les bords au moyen de tasseaux de 1 x 2 et de clous vrillés galvanisés.

4 Fixez les tasseaux d'angle les plus larges sur les côtés les plus courts et les tasseaux d'angle les plus étroits sur les côtés les plus longs.

galvanisées de 9 cm (3 1/2) po à chaque angle. Faites chevaucher les longs côtés sur l'extrémité des côtés courts. Veillez à ce que le sommet des angles soit en alignement et noyez les vis dans le bois. Posez un niveau de menuisier sur une longue planche et vérifiez ainsi l'horizontalité de tout le cadre. Mesurez les diagonales. Si les deux diagonales sont égales, le cadre est d'équerre. Une fois le cadre bien d'équerre et de niveau, enfoncez des piquets dans le sol à chaque angle extérieur. Vissez ensuite temporairement les piquets dans le cadre pour le maintenir en place. À l'aide d'un papier de verre à grain moyen ou d'une râpe, arrondissez légèrement les bords du cadre sur tout son pourtour.

3 **Installer la toile.** Inspectez soigneusement le terrain à l'intérieur du cadre et enlevez au besoin pierres pointues, racines saillantes ou tout autre objet tranchant. Épandez à l'intérieur du cadre une couche de 2,5 à 5 cm (1 à 2 po) de sable ou de terre fine (vous pouvez aussi utiliser un feutre géotextile à la place du sable ; voir page 18). Déposez la toile lâchement à l'intérieur du cadre en gardant un rebord égal sur tous les côtés. Remplissez ensuite lentement le bassin d'eau. Étirez la toile délicatement et arrangez les plis à mesure que l'eau monte. Faites attention à ne pas trop étirer la toile. Quand le niveau de l'eau est arrivé à environ 15 cm (6 po) du bord du cadre, fermez l'eau. Rabattez le bord de la toile par-dessus le rebord du bassin et fixez-le à l'aide de pièces de bois de 1 x 2 et de clous vrillés galvanisés de 4 cm (1 1/2 po), tel qu'il est illustré. Taillez la toile le long du bois avec un couteau.

4 **Fixer les tasseaux d'angle.** Chaque angle comporte un tasseau de 1 x 4, (en réalité 3 1/2 po de large) qui chevauche l'arête d'un tasseau de 1 x 2 3/4. De cette manière, la largeur de l'angle est la même des deux côtés. Effectuez un angle à la fois. Ôtez le piquet temporaire et fixez les tasseaux d'angle avec des vis à patio galvanisées de 5 cm (2 po). Fixez les tasseaux les plus larges sur les

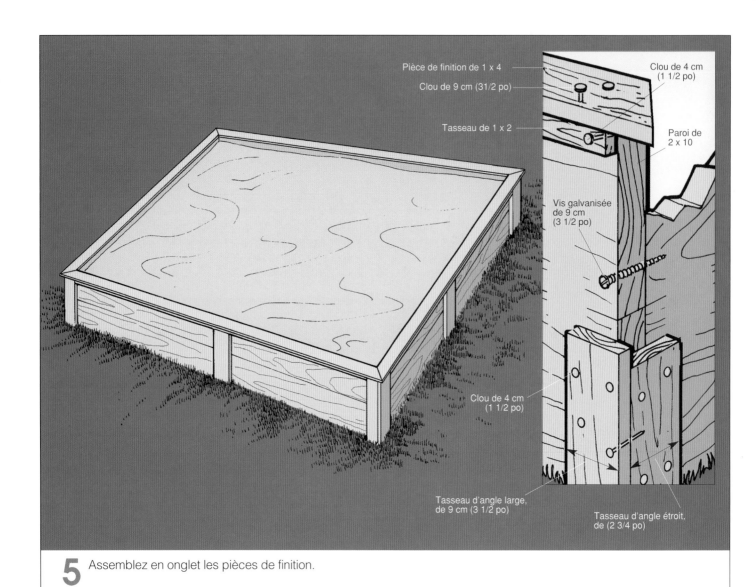

Pièce de finition de 1 x 4

Clou de 9 cm (31/2 po)

Tasseau de 1 x 2

Clou de 4 cm (1 1/2 po)

Paroi de 2 x 10

Vis galvanisée de 9 cm (3 1/2 po)

Clou de 4 cm (1 1/2 po)

Tasseau d'angle large, de 9 cm (3 1/2 po)

Tasseau d'angle étroit, de (2 3/4 po)

5 Assemblez en onglet les pièces de finition.

côtés les plus courts et les tasseaux les plus étroits sur les côtés les plus longs. Le plat joint ainsi décalé, les angles seront renforcés.

5 Couper et fixer les pièces de finition. Coupez les pièces de finition selon les dimensions indiquées dans le tableau, avec un onglet de 45 degrés à chaque extrémité. Clouez les pièces de finition sur le bord du bassin avec des clous ordinaires galvanisés de 9 cm (3 1/2 po) et dans les tasseaux horizontaux avec des clous de finition galvanisés.

Liste des matériaux

Quantité	Pièce	Bois de construction
4	Parois longues	2 x10 x 2,4 m (8 pi)
4	Parois courtes	2 x10 x 1,8 m (69 po)
4	Tasseaux du milieu	1 x 4 x 0,43 m (17 po)
2	Tasseaux longs	1 x 2 x 2,4 m (8 pi)
2	Tasseaux courts	1 x 2 x 1,9 m (74 po)
4	Tasseaux d'angle larges	1 x 4 x 0,43 m (17 po)
4	Tasseaux d'angle étroits	1 x 2 3/4 x 0,43 m (17 po)
2	Pièces de finition longues	1 x4 x 2,4 m (8 pi 2po)
2	Pièces de finition courtes	1 x 4 x 1,9 m (74 po)

chapitre 4

Les coques préfabriquées

Remarques générales

Le terrain sur lequel vous installez le bassin doit être ferme, stable et exempt de pierres, de racines et de tout autre objet tranchant. En outre, la coque doit reposer sur de la terre dure et bien tassée. Une fois pleine, une coque peut peser plusieurs tonnes ; un creux ou une bosse risquerait donc de la faire se fendiller ou se déformer. En terrain extrêmement meuble ou sablonneux, la nappe phréatique peut causer l'érosion autour de la coque et créer des espaces vides qui vont l'affaiblir. De même, en climat froid, le déchaussement dû au gel peut causer la déformation ou le gondolement de la coque. Si vous vous trouvez dans l'une de ces situations, creusez un trou plus profond et plus large d'environ 15 à 20 cm (6 à 8 po) que la coque. Remblayez ensuite le trou avec 7,5 à 10 cm (3 à 4 po) de gravillon lisse, recouvert de 5 cm (2 po) de terre fine puis tassez le tout fermement. Si vous prévoyez placer dans le bassin une fontaine ornementale, des grosses pierres ou tout autre objet lourd, avant

d'installer la coque, vous pourriez couler une dalle de béton dans le fond du bassin pour supporter le poids supplémentaire.

Installer la coque

1 Tracer le contour de la coque. Placez la coque préfabriquée à l'endroit voulu. Utilisez des piquets à l'aplomb ou un fil à plomb pour reporter la forme du rebord de la coque sur le sol. Tracez ensuite le contour avec une corde ou un tuyau d'arrosage. Servez-vous de piquets, espacés d'environ 30 cm (12 po), pour maintenir le tuyau ou la corde en place.

2 Creuser le trou. Creusez le trou selon la forme de la coque, en ajoutant 5 cm (2 po) de plus tout autour du bassin et 5 à 7,5 cm (2 à 3 po) dans le fond du trou. Si la coque comporte des paliers de faible profondeur, creusez les rebords en conséquence. Les coques minces surtout doivent être parfaitement supportées en tout point. Enlevez toute pierre ou objet tranchant puis

recouvrez le trou avec 5 à 7,5 cm (2 à 3 po) de sable mouillé ou de terre fine (pour les coques minces, vous pouvez aussi utiliser un feutre géotextile, voir page 18). Aplanissez le fond du trou avec une petite planche ou une règle à araser puis tassez bien la terre pour assurer à la coque une assise stable. Vérifiez l'horizontalité du fond du trou. Vous pouvez le faire au moyen d'un grand niveau à bulle ou d'un plus petit posé sur une planche, elle-même posée sur l'assise de sable.

3 Placer la coque. À deux, placez la coque dans le trou et vérifiez la hauteur de son rebord. Il devrait se trouver à environ 2,5 cm (1 po) au-dessus du sol afin d'empêcher les eaux de ruissellement de se déverser dans le bassin. Au besoin, ajoutez ou enlevez de la terre au fond du trou jusqu'à atteindre la hauteur voulue.

4 Mettre la coque de niveau. Placez une longue planche en travers de la coque, à différents endroits, et vérifiez l'horizontalité avec un niveau à bulle. Si la coque n'est pas

1 Placez la coque à l'endroit voulu. À l'aide de piquets à l'aplomb et d'un tuyau d'arrosage, reportez la forme du bassin sur le sol tel qu'il est illustré.

2 Creusez un trou un peu plus grand que la coque puis recouvrez-le de sable mouillé. Aplanissez le fond du trou à l'aide d'une planchette.

3 À deux, soulevez la coque et placez-la dans le trou.

4 Placez une longue planche et un niveau à bulle en travers de la coque à différents endroits pour vérifier son horizontalité. Ajoutez au besoin du sable sous la coque.

de niveau, sortez-la du trou et aplanissez de nouveau la terre selon le besoin. Assurez-vous que le bassin est parfaitement de niveau avant de le remplir d'eau. Rien que quelques centimètres d'eau suffiront pour qu'il soit impossible de bouger la coque.

5 **Remblayer autour du bassin.** Une fois la coque mise de niveau, remplissez-la d'eau. Pendant que le niveau d'eau augmente, remblayez le trou autour de la coque avec de la terre tamisée ou du sable mouillé, en les tassant délicatement avec un manche de pelle ou l'extrémité d'une planche. Veillez à combler tous les espaces vides, surtout aux abords des paliers. Vérifiez souvent l'horizontalité du bord. Ne laissez pas le niveau de l'eau dépasser le remblai car la coque risquerait de se déformer. À l'aide de remblai, essayez d'égaliser les pressions exercées de chaque côté de la coque.

6 **Ajouter la margelle.** Une fois la coque remplie d'eau, vous pouvez en masquer le rebord à l'aide de pierres, de pièces de maçonnerie ou de plantes. Si vous utilisez des dalles naturelles ou des pavés plats, faites-les déborder de 2,5 à 5 cm (1 à

5 Remplissez lentement la coque d'eau et remblayez les bords du bassin à mesure que l'eau monte. Vérifiez souvent l'horizontalité.

2 po) sur le rebord du bassin. Ne laissez pas le poids entier de la margelle reposer sur le rebord du bassin car elle en déformerait ou en endommagerait les parois. Scellez plutôt la margelle dans un lit de mortier de 7,5 à 10 cm (3 à 4 po) d'épaisseur, légèrement surélevé par rapport au rebord de la coque. Une fois le mortier sec (au bout d'environ une semaine), frottez la margelle avec du vinaigre distillé pour neutraliser la chaux présente dans le mortier. Videz ensuite le bassin, rincez-le et remplissez-le d'eau fraîche (voir page 74 comment vider un bassin).

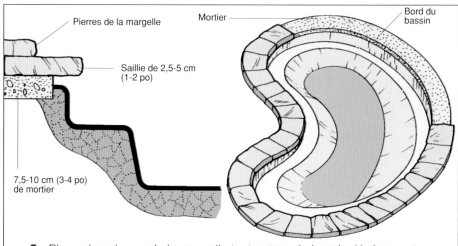

6 Placez les pierres de la margelle tout autour du bassin, légèrement en saillie pour masquer le rebord de la coque. Pour avoir une installation plus permanente, scellez les pierres au mortier.

Construire un bassin hors terre au moyen d'une coque préfabriquée

Certaines coques parmi les plus épaisses peuvent s'installer hors terre rien qu'avec une mince ceinture décorative de bois, de brique ou de bloc de maçonnerie qui va en soutenir le bord. Les coques plus minces auront besoin de support additionnel - un remblai de terre ou de béton - entre le mur et la coque du bassin. Vérifiez auprès du fabricant ou détaillant de bassins quelles sont les indications pour la coque que vous avez choisie. Suivez les mêmes étapes pour le remblai que dans le cas d'un bassin enterré (voir page 35). Les illustrations indiquent la marche à suivre pour un bassin en partie hors terre et un bassin entièrement hors terre. Dans le cas d'un bassin en partie hors terre, enterrez la partie inférieure de la coque jusqu'au niveau du palier. Construisez ensuite le mur à partir du niveau du sol jusqu'au bord du bassin tout en

remblayant, au fur et à mesure et au besoin, en arrière du mur. Si vous utilisez de la brique, de la pierre ou des blocs de béton, il vous faudra couler une semelle qui supportera le mur, tel qu'il est illustré. La semelle doit avoir une largeur double de celle du mur et une profondeur minimale de 10 cm (4 po) [dans les climats froids, il faut peut-être une semelle plus profonde ; vérifiez les spécifications pour votre région]. Construisez le mur jusqu'au bord du bassin. Vous pouvez ensuite réaliser une margelle en mortier ou en pierre de finition pour camoufler le rebord, tel qu'il est illustré.

Les bassins entièrement hors terre nécessitent une fondation ferme. Vous ne pouvez pas les installer sur un terrain meuble ou mouvant car l'instabilité du sol fera craquer ou gondoler la coque. Par mesure de précaution, installez le bassin sur une dalle de béton armé. Faites la

dalle suffisamment large pour recevoir la coque ainsi que le mur de soutien extérieur. La dalle doit avoir une épaisseur minimale de 10 cm (4 po) et des bords plus épais (en principe de 15 cm [6 po] pour supporter le mur). Dans les climats froids, vous pourriez avoir besoin d'ajouter une semelle sur tout le pourtour, qui s'étend au-delà de la profondeur de gel. Renforcez la dalle avec des barres d'armature de 1,2 cm (1/2 po) espacées entre elles par un grillage de 30 cm (12 po) ou avec du treillis métallique utilisé pour renforcer le béton. Vérifiez les spécifications du code de la construction en vigueur dans votre région. En plus du mur extérieur, bâtissez un second mur intérieur de brique ou de bloc de béton qui va soutenir le palier de faible profondeur. Essayez d'intercaler le sous-tapis ou le feutre géotextile entre la coque et les surfaces de maçonnerie qui servent de soutien.

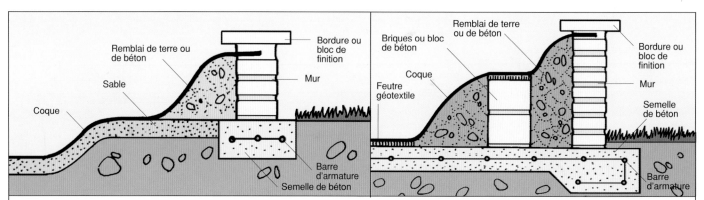

Construire un bassin hors terre à l'aide d'une coque préfabriquée. Pour dissimuler la coque d'un bassin en partie hors terre, on utilise une ceinture de briques (à gauche). Un bassin entièrement hors terre a besoin d'un support ferme tout autour et en dessous de sa coque. Il faut remblayer tous les espaces vides avec de la terre tassée ou du béton (à droite).

Cascades et ruisseaux

Conseils pour la planification

Les cascades peuvent soit imiter les ruisseaux et les chutes d'eau présents dans la nature soit revêtir une allure plus classique. Les chutes d'eau d'aspect naturel comportent des pierres de différentes tailles : des plus grosses roches, qui vont servir de décor et donner une impression de cascade, aux pierres plus petites et aux galets, qui vont jalonner le parcours de l'eau. Dans le cas de bassins classiques, on peut inclure du bois, des dalles de béton coulé, des vasques de béton préfabriquées, des blocs de maçonnerie ou des briques, ou même des carreaux de céramique. Quel que soit le style du plan d'eau, les cascades consistent en une série de petits bassins appelés des vasques, reliés par des chutes d'eau basses. En cas d'espace restreint, vous pouvez installer une seule vasque au-dessus du bassin principal, qui y sera reliée par une seule chute d'eau, ou encore faire jaillir la chute d'eau d'une fissure pratiquée dans un muret de pierre ou d'une saillie placée au-dessus du bassin principal. Si l'espace le permet, vous pouvez inclure un ruisseau qui va serpenter entre les chutes.

La construction d'une cascade se fait vraiment par tâtonnements. Pour créer l'effet désiré, vous aurez à faire des essais en plaçant ici et là des roches de diverses dimensions et formes. Avant de commencer, essayez d'avoir une bonne idée de l'effet que vous voulez créer. Regardez autant de photos de cascades que possible. Allez vous promener le long des ruisseaux des alentours en notant la dimension, la forme et la texture des pierres et la manière dont l'eau s'écoule sur elles ou les contourne. Observez les ruisseaux artificiels publics ou privés de votre région. Si possible, demandez à des architectes ou concepteurs paysagistes de vous montrer leurs réalisations. Quand vous observez des pièces d'eau artificielles, cherchez à savoir le type et la dimension de la pompe utilisée pour obtenir l'effet produit.

Concevez votre cascade de manière à ce que la totalité de l'eau se déverse directement d'une vasque à l'autre ou dans le bassin principal ; de grandes quantités d'eau seront gaspillées si l'eau éclabousse à l'extérieur des vasques ou du bassin. En faisant les chutes d'eau courtes et le ruisseau relativement petit, on minimise les pertes d'eau dues à l'évaporation. De plus, il vaut mieux créer des vasques petites et profondes plutôt que larges et peu profondes pour réduire l'évaporation au minimum. Vous devez aussi construire soigneusement la cascade pour éviter les fuites entre les pierres le long des rives et en arrière des chutes d'eau.

Dimension de la cascade

La cascade doit respecter l'échelle du bassin. Un petit filet d'eau dans un grand bassin ne fera pas beaucoup d'effet et il sera peu efficace pour faire circuler l'eau et l'oxygéner. D'un autre côté, une grande cascade qui bouillonne dans un petit bassin troublera en grande partie la surface de l'eau et brassera les sédiments. Il sera alors presque impossible d'introduire des poissons, des nénuphars et d'autres plantes aquatiques qui préfèrent les eaux calmes. Si vous souhaitez avoir à la fois une grande cascade et des plantes aquatiques, il faut planifier le plan d'eau de manière à pouvoir placer les végétaux loin du bouillonnement de la cascade.

Choisir une pompe

Une cascade ou une fontaine est alimentée par l'eau du bassin qui circule en circuit fermé grâce à une petite pompe électrique. Une gamme de pompes conçues spécialement pour les bassins est offerte chez les spécialistes en jardins d'eau et les détaillants de piscines. Lors du choix d'une pompe, la première étape est de choisir une dimension qui produira un débit suffisant pour alimenter la cascade ou tout autre jeu d'eau présent dans votre bassin. Mis à part la taille de la pompe, vous devez savoir si vous la voulez immergée ou placée hors du bassin. Les autres critères à prendre en considération sont la qualité de la pompe et sa durabilité. Commençons par la dimension.

Dimension de la pompe

En règle générale, une pompe qui achemine la moitié du volume total d'eau du bassin en une heure fournit le débit minimal nécessaire pour produire un mouvement d'eau agréable par rapport à la dimension du bassin. Par exemple, si le bassin contient 4000 L (1000 gal) d'eau, vous devrez choisir une pompe dont le débit est d'au moins 2000 L (500 gal) à l'heure, au sommet de la cascade. Pour une cascade plus grande et plus puissante, choisissez une pompe qui acheminera le volume total d'eau du bassin en une heure.

Une autre manière de déterminer la

Conseils pour la planification. Les cascades qui font le plus d'effet comportent une série de petites vasques reliées entre elles par des chutes d'eau basses.

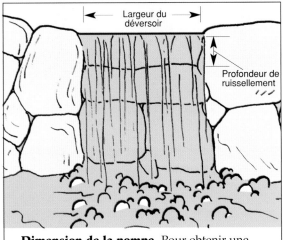

Dimension de la pompe. Pour obtenir une profondeur de ruissellement importante (2,5 cm [1 po]), comptez un débit de 600 L (150 gal) à l'heure pour chaque 2,5 cm (1 po) de largeur ; pour une profondeur de ruissellement faible (0,6 cm [1/4 po]), comptez 200 L (50 gal) à l'heure pour chaque 2,5 cm (1 po) de largeur.

Performance de la pompe. La performance de la pompe est définie par la quantité d'eau acheminée à différentes hauteurs au-dessus du niveau de l'eau. Les fabricants de pompes indiquent ces renseignements dans leurs tableaux de performances. Pour obtenir un meilleur rendement, placez la pompe près de la base de la cascade.

dimension de la pompe est de calculer directement la quantité d'eau requise pour des cascades de différentes grandeurs. Mesurez d'abord la largeur de l'échancrure (appelée le déversoir) sur laquelle va s'écouler l'eau. Déterminez ensuite quelle profondeur vous voulez donner à l'eau au niveau du déversoir. Pour obtenir une faible profondeur de ruissellement (0,6 cm [1/4 po]), comptez 200 L (50 gal) à l'heure pour chaque 2,5 cm (1 po) de déversoir. Pour une plus grande profondeur (2,5 cm [1 po]), comptez 600 L (150 gal) à l'heure pour chaque 2,5 cm (1 po) de déversoir. Par exemple, si la chute d'eau mesure 15 cm (6 po) de large, vous aurez besoin d'une pompe qui a un débit de 1200 L (300 gal) à l'heure pour un ruissellement d'une profondeur de 0,6 cm (1/4 po), ou de 3600 L (900 gal) à l'heure pour une profondeur de 2,5 cm (1 po).

Performance de la pompe. Lorsque vous achetez une pompe, vérifiez le tableau de performances qui accompagne cet article. La plupart des pompes sont évaluées en litres (ou gallons) à l'heure à une hauteur de 30 cm (1 pi) au-dessus de la surface de l'eau. Les tableaux indiquent également le volume d'eau débité à différentes hauteurs au-dessus de la pompe, ce qu'on appelle la hauteur de refoulement. Plus vous placez le déversement de la cascade haut, moins la pompe a de rendement. Par exemple, une pompe qui a un débit

de 1200 L (300 gal) à une hauteur de refoulement de 30 cm (1 pi) n'aura qu'un débit de 480 L (120 gal) à une hauteur de refoulement de 1,20 m (4 pi).

Dans leurs tableaux de performances, les fabricants indiquent également une hauteur de refoulement maximale qui constitue la hauteur maximale à laquelle la pompe pourra faire remonter l'eau. Dans les faits, le volume d'eau débité à la hauteur de refoulement maximale indiquée, ou à sa proximité, se réduira à un filet d'eau. De plus, selon les conditions d'installation de la pompe, la hauteur de refoulement maximale peut même être plus faible que la hauteur théorique. Certaines pompes sont conçues pour avoir un débit faible et une hauteur de refoulement maximale élevée tandis que d'autres de la même dimension sont conçues pour avoir un

débit élevé et une hauteur de refoulement maximale faible. Pour obtenir un rendement optimal de la pompe, maintenez la hauteur totale des chutes d'eau de loin inférieure à la hauteur maximale de refoulement indiquée. Une hauteur totale de 60 à 90 cm (2 à 3 pi) au-dessus de la surface du bassin devrait suffire pour obtenir une cascade (ou une série de cascades) d'un bel effet visuel tout en optimisant la performance de la pompe.

Emplacement de la pompe. Si on place la pompe chargée de refaire circuler l'eau ou l'entrée d'eau de la pompe près de la chute d'eau, on augmente son efficacité car il faudra moins de longueur de tube ou de tuyau entre la pompe et le sommet de la cascade. En principe, la performance de remontée de la pompe est réduite

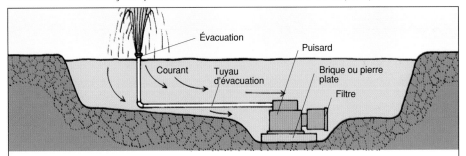

Emplacement de la pompe. Si la pompe n'est destinée qu'à la filtration, placez l'ensemble pompe et filtre dans la partie la plus profonde du bassin. S'il y a un puisard, dirigez le tuyau d'évacuation de la pompe vers l'autre extrémité du bassin pour augmenter la circulation de l'eau. Surélevez l'ensemble pompe et filtre par rapport au fond du bassin pour prévenir un engorgement fréquent du filtre.

de 30 cm (1 pi) à chaque 3 m (10 pi) de tuyauterie horizontale. L'ajout d'un filtre réduira encore plus le débit. Si vous voulez inclure une fontaine en plus de la cascade, ajoutez à vos calculs le nombre de litres (ou de gallons) à l'heure nécessaires pour faire fonctionner la fontaine. Consultez votre fournisseur de pompes pour des informations plus détaillées.

Si la pompe n'est destinée qu'à la filtration (ni fontaine ni cascade ajoutées), aménagez le système de manière à ce que l'entrée d'eau de la pompe soit située à une extrémité du bassin et l'évacuation à l'autre. Cela induira un léger courant dans le fond du bassin qui fera circuler l'eau et enlèvera du même coup les sédiments et les autres impuretés. Habituellement, on place l'entrée d'eau de la pompe dans la partie la plus profonde du bassin puis on planifie le bassin de sorte à créer un léger courant qui va amener les sédiments à cet endroit. Si vous utilisez une pompe immergée, surélevez-la de 5 à 8 cm (2 à 3 po) par rapport au fond du bassin en la posant sur quelques briques ou pierres plates pour empêcher la vase et les sédiments d'obstruer l'entrée de la pompe. La plupart des pompes sont munies de crépines intégrées qui empêchent les feuilles et autres débris importants de les engorger.

Achetez une pompe un peu plus puissante que vos besoins. Vous pourrez toujours si nécessaire en ralentir le débit ; certaines pompes sont munies de robinets destinés à cette fin. Vous pouvez aussi limiter le débit en installant un robinet séparé à la sortie de la pompe ou encore en utilisant une pince spéciale qui se fixe sur le tuyau d'évacuation (ne limitez jamais le débit à l'entrée de la pompe et ne limitez jamais le débit à l'évacuation de plus du quart de son volume total). Un exemple de robinet de réglage du débit est illustré page 54. Avant d'acheter la pompe, renseignez-vous auprès du détaillant à savoir s'il l'échangera pour un modèle plus gros au cas où elle serait trop petite pour faire fonctionner convenablement la cascade.

Autres critères à considérer

Après avoir déterminé quelle taille de pompe vous avez besoin, vous devrez encore prendre en compte plusieurs caractéristiques de la pompe.

Submersible ou extérieure ? Il faudra décider si vous voulez une pompe submersible ou une pompe extérieure (qui refait circuler l'eau). Pour la plupart des bassins de jardin, les pompes submersibles sont préférables car elles surchauffent moins, sont plus silencieuses que les pompes extérieures et, en général, moins onéreuses. Dans leur majorité, elles sont aussi plus économiques à installer et à faire fonctionner puisqu'elles requièrent moins de tuyauterie. Les pompes d'un prix raisonnable ont un rendement de 720 à 4800 L/h (180 à 1200 gal/h). Les modèles à grand débit vont jusqu'à 13 600 L/h (3400 gal/h). La plupart des pompes submersibles peuvent s'utiliser en association avec des filtres mécaniques ou biologiques (voir page 65) pour produire une eau claire. Les pompes sont munies d'une crépine ou d'un préfiltre qui empêche les feuilles et autres débris de colmater le rotor de la pompe. Vous n'avez besoin de retirer la pompe de l'eau que pour nettoyer la crépine ou le filtre intégrés. Certaines pompes submersibles possèdent un robinet de réglage du débit, d'autres non.

En général, les pompes extérieures, comme celles qu'on utilise pour les piscines, ne conviennent qu'aux très grandes cascades et fontaines ou lorsqu'une pompe submersible serait inesthétique ou guère pratique comme dans le cas d'un bassin qui servirait aussi de pataugeoire. Avec un débit qui varie de 9600 L/h (2400 gal/h) à 32 000 L/h (8000 gal/h), les pompes extérieures sont trop puissantes pour la plupart des bassins ordinaires de jardin. Par contre, si vous installez une piscine, vous pourriez envisager de raccorder le système de pompe et de filtration de manière à ce qu'il desserve aussi un bassin et une cascade. Si une pompe submersible ne s'adapte pas à votre modèle de bassin, vous pouvez acheter une pompe conçue pour fonctionner soit à l'extérieur soit immergée. D'une taille compacte, ces pompes constituent un bon compromis dans les cas où une pompe serait inesthétique ou facilement endommagée et où une pompe extérieure proprement dite serait beaucoup trop grosse pour la taille du bassin. Pour le fonctionnement extérieur,

il faut normalement placer ces pompes dans un puisard sec situé plus bas que le niveau de l'eau du bassin. Leur débit est similaire à celui des pompes submersibles décrites ci-dessus.

Évaluer la qualité. Au moment de choisir une pompe, achetez la meilleure que vous permet votre budget. Les pompes les moins chères (et aussi les moins durables) comportent des boîtiers et des éléments en plastique. Leur débit se limite à 1200 L/h (300 gal/h) ou moins et elles ont une durée de vie relativement courte. Elles conviennent pour faire fonctionner occasionnellement des jeux d'eau plutôt petits et elles doivent être absolument immergées.

La plupart des pompes pour bassins comportent un boîtier en aluminium moulé et un fini en époxy résistant à la corrosion. Elles sont plus durables et résistent mieux aux chocs que celles en plastique. Elles sont d'un coût raisonnable et existent dans de nombreuses capacités. Cependant, les pompes à boîtier en aluminium ne conviennent que pour l'eau douce car l'aluminium est facilement attaqué par l'eau salée, chlorée ou encore traitée fréquemment par des produits chimiques pour bassin. De plus, si vous introduisez des poissons dans le bassin, l'eau sera légèrement acide. Cette acidité attaquera peu à peu le boîtier en aluminium et les éléments de la pompe. Des pompes à boîtier en aluminium ne sont donc pas conseillées dans de tels cas.

Les pompes les plus durables (et aussi les plus chères) comportent un boîtier et des éléments faits d'une combinaison de laiton, de bronze et d'acier inoxydable. Ces pompes résisteront à différents types d'eau, y compris une eau salée ou chlorée. Elles supportent un fonctionnement continu et dureront plus longtemps que les pompes mentionnées plus haut. En général, elles n'existent que dans les grandes dimensions (3200 L/h [800 gal/h] ou plus). Si vous prévoyez avoir un bassin permanent, ces pompes valent bien le coût initial qu'elles représentent. Dans le choix d'une pompe, vérifiez aussi son rendement énergétique. Comparez son intensité ou sa puissance nominale (en watts), si elle est indiquée, et son débit en litres ou en gallons à l'heure. Si deux pompes ont le même débit, celle qui a la plus faible puissance nominale aura normalement le rendement énergétique le plus élevé. Si vous envisagez d'ajouter un filtre biologique ou mécanique au système, demandez s'il pourra se raccorder à la pompe que vous avez choisie. Avec certaines pompes, votre choix de filtres sera limité alors que d'autres pompes sont plus polyvalentes. Pour plus de détails sur le choix et l'installation des filtres, voir page 65.

Quand vous choisissez une pompe, assurez-vous que le cordon est suffisamment long pour arriver jusqu'à la prise de courant envisagée ou existante. De nombreuses pompes ont un cordon de 1,80 m (6 pi) qui ne conviendra pas si le code d'électricité exige que la prise soit située à au moins 1,80 m (6 pi) du bord du bassin. Vous devriez cependant pouvoir commander un cordon plus long chez le fabricant de pompes. N'utilisez que des cordons et des prises spécialement conçus pour la pompe. Ne vous servez pas de rallonge pour augmenter la longueur du cordon. Pour plus de détails sur le raccordement des pompes, voir page 9.

Les types de cascades

Les cascades sont d'un plus bel effet et minimisent la déperdition d'eau lorsqu'on utilise des grosses pierres pour le déversoir des chutes d'eau. Choisissez des dalles lisses pour créer un rideau large et mince ou bien canalisez l'eau dans une brèche étroite située entre de grosses pierres pour produire un effet de jaillissement. Un espace vide en arrière de la chute d'eau amplifie le son de celle-ci et le répercute. Afin de prévenir une trop grande déperdition d'eau, vous pouvez vous servir de pierres ou d'ouvrages de maçonnerie pour rehausser les parois du bassin en arrière du déversoir ainsi que sur les deux côtés de la cascade dans le but de rediriger toute éclaboussure vers le bassin. Les déversoirs des cascades de style classique peuvent être en brique, en carrelage, en dalle naturelle ou en bois. Certains modèles comportent une feuille transparente de plastique acrylique qui permet de créer un rideau d'eau large et clair. Le plastique lui-même est pour ainsi dire invisible

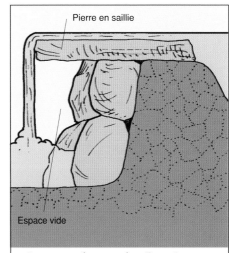

Les types de cascades. Des pierres plates et en saillie font retomber l'eau en rideau, directement dans le bassin. Un espace vide en arrière de la chute d'eau en répercute le son.

lorsque la cascade fonctionne. Les illustrations montrent différents modèles de cascades de style rustique ou classique.

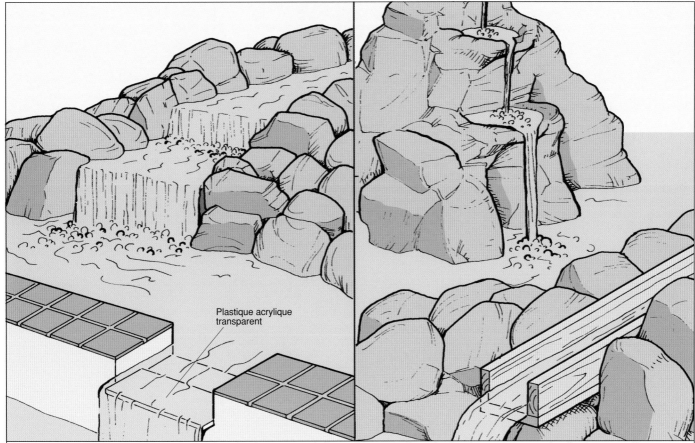

Les types de cascades. Un déversoir bas (en haut à gauche), un déversoir de style classique recouvert de plastique acrylique transparent (en bas à gauche), une cascade étroite (en haut à droite) et une rigole en bois (en bas à droite) sont parmi les nombreuses possibilités en matière de cascades.

5 Cascades et ruisseaux

Les ruisseaux

Nous avons tous déjà contemplé le tumulte d'un ruisseau dans la nature. Mais, contrairement à ce que l'on pourrait croire, pour produire cet effet, le lit du ruisseau n'est pas abrupt. Les ruisseaux de montagne comportent en général une série de petites sections relativement plates séparées par des chutes d'eau ou des cascades basses. Ainsi, lorsque vous construisez un ruisseau entre une série de chutes d'eau, assurez-vous de faire le lit du ruisseau aussi plat que possible tout au long de son parcours afin qu'il retienne de l'eau quand la pompe est éteinte. L'alternance de conditions sèche et humide risque de faire craquer le mortier ou le béton ou de réduire la durée de vie des matériaux, plastique ou fibre de verre, qui composent le ruisseau. Un ruisseau qui a de l'eau en permanence aura aussi une allure plus réaliste. Un dénivelé de 2,5 à 5 cm / 3 m (1 à 2 po / 10 pi) suffit pour un ruisseau. Veillez également à ce que le lit du ruisseau soit de niveau dans sa largeur et que ses rives soient à peu près de la même hauteur, sinon le ruisseau aura l'air de travers.

Maîtriser la vitesse et la direction de l'eau

Pour augmenter la vitesse du courant, rapprochez les rives du ruisseau ; pour un courant plus lent, éloignez-les. Si vous voulez mettre des plantes de berges sur les bords, il est préférable de faire un cours d'eau profond, large et lent plutôt qu'étroit et rapide. Il faut cependant éviter les grandes zones d'eau peu profonde et peu mouvante car elles se rempliront très vite d'épaisses couches d'algues. Dans tous les cas, un ruisseau sinueux aura l'air plus réaliste qu'un rectiligne. Variez la taille des pierres le long des rives ainsi que la distance entre les rives. De grosses pierres disposées dans le cours d'eau produisent un effet de rapides tandis que des petites pierres et des galets créent un mouvement d'ondulation. Ces deux éléments donnent au ruisseau une allure et un bruit naturels.

Au moment de placer les pierres du ruisseau et de la chute d'eau, ne cimentez pas la couche supérieure de pierres tant que vous n'avez pas installé la pompe et fait circuler l'eau. Pendant que l'eau s'écoule, essayez différentes dispositions, dimensions et formes de pierres dans le lit du ruisseau et sur ses rives. Pour obtenir exactement l'effet voulu, vous allez sans doute devoir vous y reprendre à plusieurs fois ; ne vous pressez donc pas. Dans certains cas, vous devrez ajouter des pierres sur les rives du ruisseau ou en arrière des chutes pour éviter que l'eau n'éclabousse à l'extérieur du plan d'eau ou ne déborde sur ses rives.

Les matériaux utilisés

Tout comme les bassins, le ruisseau et les vasques des cascades doivent être recouverts pour prévenir la déperdition d'eau. On utilise pour ce faire les mêmes matériaux que pour les bassins. Le matériau le plus facile d'emploi et le plus polyvalent est la toile souple EPDM, même s'il existe également des coques préfabriquées en plastique ou en fibre de verre. Ne recouvrez pas une cascade avec du béton ou du ciment plastique car l'alternance de l'humidité et de la sécheresse provoquerait des

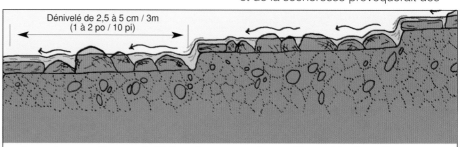

Les ruisseaux. Creusez le lit du ruisseau sous forme d'une série de sections courtes et presque planes reliées par des chutes d'eau basses. Chaque section devrait retenir de l'eau quand la pompe est éteinte.

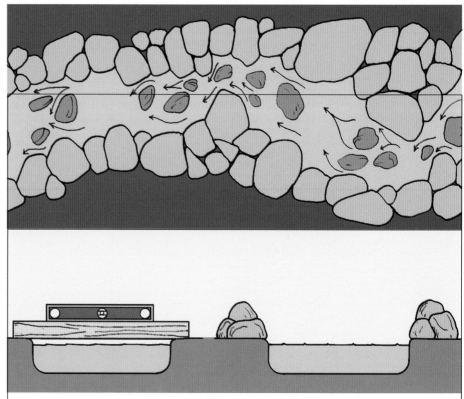

Maîtriser la vitesse et la direction de l'eau. Donnez au ruisseau un cours sinueux. L'ajout de pierres dans le lit du cours d'eau augmentera le courant et lui donnera une apparence plus naturelle (en haut). Lorsque vous creusez le lit du ruisseau, veillez à ce qu'il soit de niveau dans sa largeur. Ajoutez des pierres sur les rives pour éviter les éclaboussures et les débordements (en bas).

fissures. On utilise cependant le ciment ou le mortier en complément d'une toile souple ou d'une coque préfabriquée pour sceller de grosses roches sur les rives du cours d'eau et dans le déversoir des chutes d'eau.

Les toiles souples

Pour la construction d'une cascade, une toile souple sert de barrière étanche sous les roches, les galets et les autres matériaux décoratifs et elle permet de rediriger toute fuite d'eau vers le bassin principal. Les toiles souples conviennent bien aux modèles de cascades tant de style classique que rustique.

L'idéal, c'est d'employer un seul grand morceau de toile pour la cascade et le bassin principal afin d'avoir une structure continue sans raccord. Dans la pratique, cependant, il n'est pas toujours aisé de faire correspondre une surface de toile carrée ou rectangulaire à l'emplacement choisi pour la cascade sans se retrouver avec beaucoup de pertes de matériel. Le plus souvent, il vous faudra évaluer séparément la quantité de matériel nécessaire pour le bassin et pour la cascade. Il revient en général moins cher de commander une grande feuille et de la couper en une ou plusieurs bandes qui composeront la cascade plutôt que de commander des feuilles séparées pour la cascade et le bassin. Vous fixez ensemble les feuilles là où elles se chevauchent au moyen de colle ou de ruban adhésif (des colles et rubans adhésifs spéciaux se vendent chez les détaillants de toiles). Pour savoir comment mesurer les toiles, voir page 25. Si la cascade présente une largeur à peu près constante sur tout son parcours, on utilisera une longue bande. Si la cascade comporte des vasques et des chutes d'eau de différentes longueurs et largeurs, on aura besoin d'au moins deux morceaux différents. Prévoyez un rabat suffisant (d'au moins 30 cm [12 po]) aux raccords pour éviter les pertes par capillarité.

Les cascades préfabriquées

La plupart des compagnies qui fabriquent des bassins préfabriqués en fibre de verre ou en plastique proposent des cascades ou des ruisseaux préfabriqués faits du même matériau. On les installe à peu près de la même

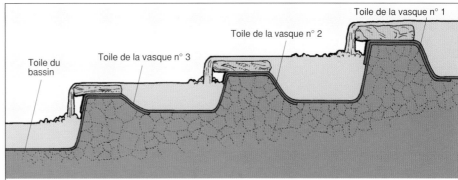

Les toiles souples. Les toiles souples s'utilisent aussi pour les cascades. Même s'il est préférable d'installer une seule toile continue pour le bassin et la cascade, on peut aussi en faire chevaucher plusieurs morceaux tel qu'il est illustré ici.

manière qu'une coque préfabriquée (voir page 34). Même si les cascades préfabriquées de style rustique ont une forme (et parfois une couleur) qui imitent la roche naturelle, la plupart ont un aspect artificiel et il faut camoufler leurs bords à l'aide de pierres ou d'autres matériaux placés en saillie.

Les cascades préfabriquées présentent un avantage par rapport aux toiles souples : le modèle a été pensé d'avance. Les cascades préfabriquées de style classique sont en général des versions miniatures des bassins préfabriqués carrés ou rectangulaires, munis d'un déversoir intégré. Les modules sont disposés en paliers successifs destinés à produire une série symétrique de chutes jusqu'au bassin principal. Les plans d'eau en fibre de verre et en plastique sont légers et peu coûteux mais, comme pour les bassins préfabriqués, dimensions et choix de modèles sont limités. Les modules préfabriqués comportent une ou plusieurs petites vasques avec cascades intégrées et un déversoir qui mène au bassin. Vous pouvez mettre bout à bout deux petits plans d'eau ou davantage et former ainsi une longue pièce d'eau. Là encore, toutefois, vous devrez vous limiter aux combinaisons recommandées par le fabricant car chacun des éléments correspond à la

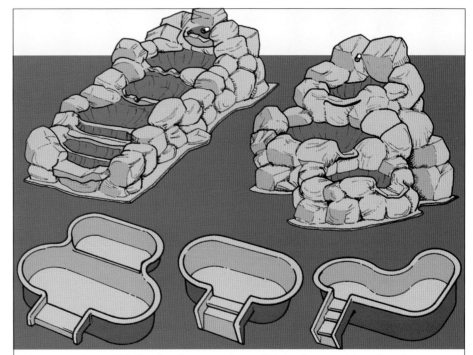

Les cascades préfabriquées. Les cascades préfabriquées sont faites du même matériau rigide, plastique ou fibre de verre, que les bassins préfabriqués.

5 Cascades et ruisseaux

puissance de débit d'une pompe d'une certaine dimension, plus précisément de 800 à 2000 L/h (200 à 500 gal/h) pour les petits modules et jusqu'à 5200 L/h (1300 gal/h) pour les plus grands. Si la pompe est trop petite, le débit sera insuffisant pour obtenir l'effet désiré ; si la pompe est trop grande, l'eau éclaboussera en dehors du plan d'eau ou débordera sur les rives (si vous choisissez malgré tout une pompe trop puissante, vous pouvez utiliser une dérivation qui alimentera un autre jeu d'eau ou renversa l'eau directement vers le bassin). Votre détaillant sera en mesure de vous aider à choisir une cascade préfabriquée en fonction des besoins de votre bassin en matière de pompage. Il existe aussi des cascades en ciment ou en pierre synthétique. Bien qu'elles soient plus robustes et qu'elles aient une apparence plus naturelle que celles en plastique ou en fibre de verre, elles sont aussi beaucoup plus lourdes. Pour cette raison, la dimension de ces modules se limite à de petites surfaces.

Installer une cascade préfabriquée

L'installation d'une cascade préfabriquée se déroule à peu près de la même manière que celle d'un bassin préfabriqué, expliquée page 34. La différence principale, c'est que vous allez disposer les modules de la cascade sur une butte de terre en amont du bassin. Voici comment procéder :

1 Préparer l'emplacement. Si vous travaillez sur une pente naturelle présente en amont du bassin, vous avez juste à creuser un trou dans lequel vous placez la cascade. En terrain plat, il faudra former une butte de terre ferme qui va supporter la coque, à la hauteur requise en amont du bassin. Utilisez à cette fin la terre excavée lors du terrassement du bassin. Les flancs de la butte doivent avoir une légère pente vers l'extérieur dans toutes les directions et vous devez laisser suffisamment d'espace pour ajouter roches, plantes ou autres matériaux d'aménagement paysager destinés à masquer les rebords de la cascade. Tassez bien la butte de terre pour fournir au module un support ferme. Mettez ensuite la cascade préfabriquée à sa place sur la butte et tracez son contour à l'aide de farine, de poudre de gypse ou de plusieurs piquets.

2 Creuser le trou. Si vous placez plusieurs modules, commencez par celui du bas. Creusez un trou de la dimension et de la forme de la cascade. Dans le cas d'un module en pierre synthétique ou en ciment, tassez bien la terre pour prévenir l'affaissement. Ajoutez ensuite quelques pelletées de ciment mouillé dans le fond du trou pour sceller le module. Les modules en fibre de verre ou en plastique ont besoin d'un support ferme sur les côtés et dans le fond sinon ils se déformeront une fois remplis d'eau. Ajoutez ou enlevez de la terre au besoin pour suivre la forme de la coque. De plus, avant d'installer une cascade, choisissez l'endroit où

passeront les tuyaux d'évacuation de la pompe et enterrez-les dans la terre à quelques centimètres de profondeur. Certains fabricants suggèrent de faire passer les tuyaux dans le trou même, sous la cascade. Vérifiez les directives fournies avec le module.

3 Placer la cascade. Positionnez la cascade de sorte que le déversoir chevauche le bord du bassin. Vérifiez à l'aide d'un grand niveau à bulle si la ou les vasques de la cascade sont de niveau dans toutes les directions. Si votre niveau n'est pas assez long, placez une planche en travers du bassin et posez le niveau par-dessus. Remblayez autour des parois avec du sable ou de la terre tamisée en la tassant bien dans le trou et en vérifiant souvent l'horizontalité. Comblez de terre jusqu'à 2,5 à 5 cm (1 à 2 po) en dessous du bord extérieur de la coque ou selon les recommandations du fabricant. Dirigez la partie du tuyau d'évacuation de la pompe qui n'est pas enterrée vers la vasque supérieure et maintenez-la en place hors de la cascade au moyen de roches ou tel qu'il est indiqué dans les directives.

4 Tester la cascade. Remplissez la cascade d'eau et vérifiez le niveau d'eau sur le bord pour vous assurer que le module est resté de niveau pendant le remblayage. Si vous ne l'avez pas déjà fait, installez la pompe, fixez-y le tuyau d'évacuation et remplissez le bassin principal. Pompez ensuite l'eau le long de la cascade. L'eau devrait ruisseler d'une manière régulière sur le

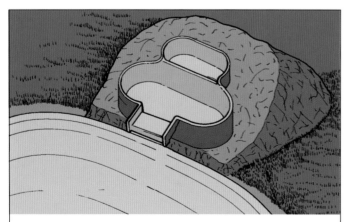

1 Formez une butte de terre et mettez le module à sa place. Tracez le contour de la cascade sur le sol.

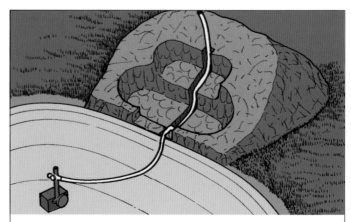

2 Creusez un trou dans la butte de terre pour enterrer le module. Faites passer le tuyau d'évacuation de la pompe jusqu'au sommet de la cascade.

déversoir et toute cascade intégrée jusqu'à environ 2,5 cm (1 po) du bord (au besoin, vous devriez régler le débit de la pompe).

5 Placer des modules supplémentaires. Si vous voulez installer des sections de cascade supplémentaires, suivez les étapes 1 à 3 et installez-les toujours l'une au-dessus de l'autre. Après avoir installé et mis à niveau chacune d'elles, testez-les en faisant ruisseler l'eau le long de la cascade (étape 4) et effectuez tout ajustement requis quant à leur hauteur et à leur position. Veillez à ce que chaque module soit maintenu en place fermement avant d'installer celui qui va au-dessus de lui.

Une fois tous les modules mis en place, raccordez le tuyau d'évacuation de la pompe au sommet de la cascade. Certains modules sont équipés de tubes ou de tuyaux intégrés destinés à cet usage. Pour les autres, vous pouvez fixer un petit bout de tube en plastique au tuyau d'évacuation de la pompe, le faire passer par-dessus le bord de la cascade supérieure et le camoufler avec des roches ou des plantes. Faites fonctionner la cascade en permanence pendant au moins 48 heures puis vérifiez-la de nouveau pour voir si elle ne s'est pas affaissée et réajustez-la au besoin.

6 Réaliser l'aménagement paysager. Selon le modèle de cascade utilisé, vous pourrez employer des roches ou des plantes pour camoufler ses bords et lui permettre de se fondre dans l'aménagement environnant. Quand vous posez des grosses roches sur le bord de la cascade, faites attention à ce que le poids n'écrase ni ne déforme la coque. Pour avoir un support additionnel, scellez les roches ou les pierres de bordure dans un ruban de béton ou de ciment placé le long des rives de la cascade. Au besoin, ajoutez des pierres sur la bordure au-dessus du niveau du sol et cimentez-les entre elles pour empêcher la terre d'entrer dans la cascade. Des pierres supplémentaires et des plantes couvre-sol disposées sur la butte ou sur la pente adjacente préviendront l'érosion du sol.

Installer une cascade en toile souple

Si vous employez pour votre bassin une toile souple de plastique ou de caoutchouc, creusez la cascade et installez sa toile dans le même temps. Vous pouvez aussi ajouter une cascade en toile à un bassin déjà existant fait de n'importe quel matériau. Suivez les

3 Placez la cascade dans le trou et vérifiez son horizontalité. Remblayez pour la maintenir en place. Faites suivre le tuyau d'évacuation vers la vasque supérieure.

4 Mettez la pompe en route et vérifiez le ruissellement de l'eau. Au besoin, ajustez le niveau du module.

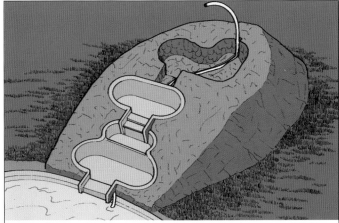

5 S'il y a plusieurs modules, commencez par celui du bas et suivez les étapes 1 à 4 pour les installer l'un après l'autre.

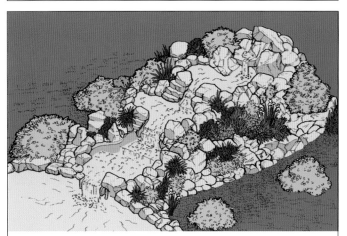

6 Placez des pierres et des plantes autour de la cascade pour qu'elle se fonde dans le paysage environnant.

directives données page 24 relatives à la réalisation d'un bassin en toile ainsi que les étapes décrites ci-dessous pour la création d'une cascade. Lorsque vous calculez la dimension de la toile, gardez suffisamment de marge dans le bassin principal pour pouvoir couvrir le déversoir de la première chute d'eau ainsi que la totalité de la première vasque.

1 **Préparer l'emplacement.** En terrain plat, formez une butte de terre tassée à côté du bassin, à l'emplacement de la cascade. Faites la butte suffisamment grande pour recevoir la cascade tout en prévoyant de l'espace supplémentaire sur les côtés pour les roches et les autres éléments de l'aménagement. Lorsque c'est possible, donnez aux bords une légère pente vers l'extérieur, à partir du trou, pour empêcher les eaux de ruissellement de transporter de la terre dans la cascade. Ne donnez pas aux buttes une inclinaison trop raide car elles seraient plus sujettes à l'érosion. Sur un terrain en pente, creusez des terrasses planes à même le versant, où seront creusées les vasques. Laissez suffisamment d'espace horizontal autour de chaque trou pour ajouter des roches ou des matériaux de bordure. Dans le cas d'un petit ruisseau, procédez de la même manière, à savoir creuser puis niveler, pour que le lit soit horizontal. Sur le sol, marquez l'emplacement des vasques et des ruisseaux ou chutes d'eau qui les relient à l'aide de piquets, de farine, de peinture en aérosol non toxique ou de tout autre matériel de marquage.

2 **Creuser les vasques.** Lorsque vous creusez les trous pour les vasques, rappelez-vous que la cascade une fois achevée paraîtra plus petite que les trous, à cause des roches et autres matériaux de bordure. Les vasques sont en fait des versions miniatures du bassin principal. Pour creuser, suivez donc simplement les étapes 1 à 7 des pages 25 à 28 puis mettez les vasques de niveau. Si la vasque est assez grande, vous pouvez creuser sur son pourtour un rebord peu profond sur lequel vous placerez des grosses pierres ou un autre matériel de bordure, en partie immergés.

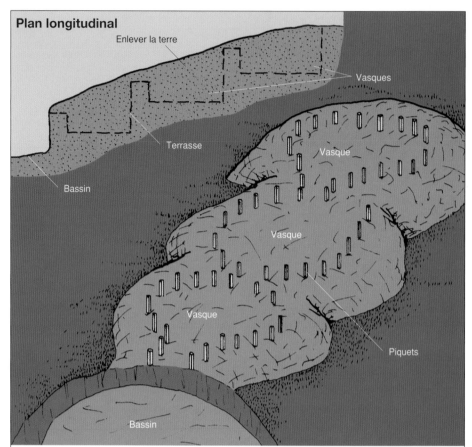

Plan longitudinal

Enlever la terre

Vasques

Terrasse

Vasque

Vasque

Vasque

Bassin

Piquets

Bassin

1 Sur un terrain en pente, creusez des terrasses planes à même le versant, où seront creusées les vasques. Sur un terrain plat, formez une butte de terre et marquez l'emplacement des vasques à l'aide de piquets.

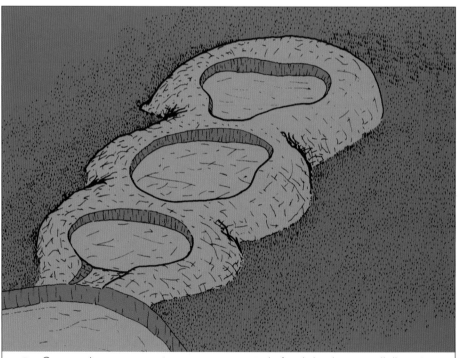

2 Creusez les vasques et assurez-vous que le fond de chacune d'elle est horizontal.

3 Creuser le lit d'un ruisseau.

Servez-vous d'une série de cordes horizontales comme guides pour creuser le ruisseau à la profondeur voulue. Le fond du lit du ruisseau doit être de niveau ou avoir une très légère inclinaison en direction du bassin pour qu'il reste de l'eau dans le ruisseau quand la pompe est éteinte. Les ruisseaux ont une allure plus naturelle s'ils se composent de plusieurs petites sections planes reliées entre elles par des chutes d'eau basses. Servez-vous de piquets et de ficelle ou d'un niveau à bulle posé sur une planche pour niveler le lit du ruisseau dans sa largeur.

4 Fournir un support au déversoir.

Prévoyez un minimum de 30 cm (12 po) de terre tassée entre chaque vasque afin de procurer une base stable au déversoir de la chute d'eau. Pour avoir une base plus ferme en sol meuble ou sablonneux, utilisez des blocs de maçonnerie, du béton coulé ou des gravats pour séparer les vasques et fournir un support aux matériaux qui vont composer le déversoir.

5 Mettre les toiles en place.

Placez d'abord la toile dans le bassin principal en laissant suffisamment de marge pour recouvrir la première vasque. Si vous utilisez une seule toile pour le bassin et la cascade, recouvrez le trou au complet avec la toile. Remplissez peu à peu le bassin d'eau pour maintenir la toile en place et laissez-la prendre sa position définitive. Pour protéger la toile, placez sous elle un morceau de feutre géotextile à l'endroit où elle chevauche le déversoir de la chute d'eau. Taillez et placez le morceau de toile suivant dans la vasque la plus basse en laissant un rebord suffisamment grand par-dessus la toile du bassin principal. Faites chevaucher les toiles des autres vasques de la même manière. Pour assurer une protection supplémentaire contre les fuites, scellez les toiles à l'aide d'une colle ou d'un ruban adhésif spéciaux (en vente chez les détaillants de toiles).

6 Installer la pompe.

Faites passer le tuyau le long de la cascade à partir de son point de sortie du bassin jusqu'à la vasque supérieure ou jusqu'au sommet de la cascade (pour plus de détails sur l'installation des pompes, voir page 49).

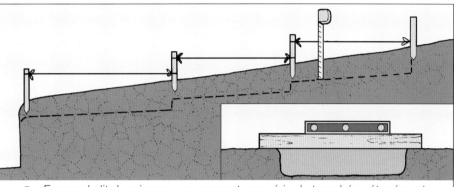

3 Formez le lit du ruisseau en creusant une série de tranchées étagées et horizontales. Un parcours sinueux fait plus naturel. Mettez le lit du ruisseau de niveau dans sa largeur.

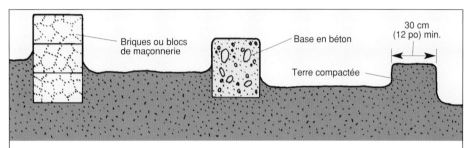

Briques ou blocs de maçonnerie

Base en béton

30 cm (12 po) min.

Terre compactée

4 Renforcez les déversoirs de la cascade en compactant la terre ou en construisant une base en béton coulé, en brique ou en bloc de maçonnerie.

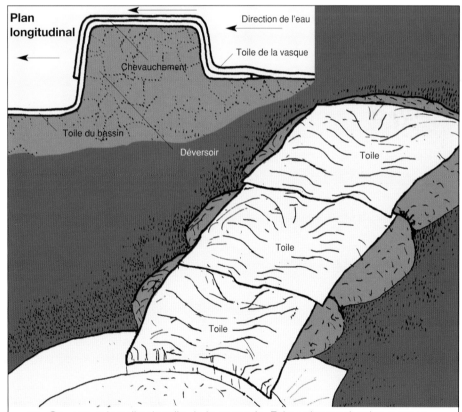

Plan longitudinal

Direction de l'eau

Toile de la vasque

Chevauchement

Toile du bassin

Déversoir

Toile

Toile

Toile

5 Coupez et installez la toile de la cascade. Faites chevaucher les morceaux de toile au niveau des déversoirs, tel qu'il est illustré. Vous pouvez utiliser de la colle ou du ruban adhésif spéciaux pour raccorder les morceaux.

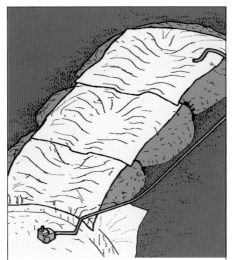

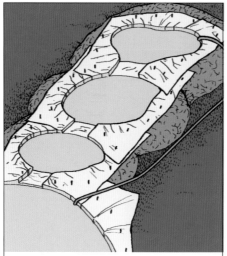

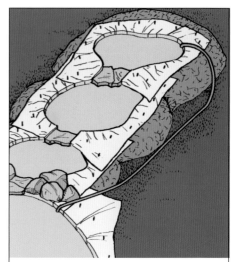

6 Installez la pompe et faites passer le tuyau le long de la cascade jusqu'à la vasque supérieure.

7 Remplissez les vasques d'eau et maintenez la toile en place à l'aide de clous de 10 cm (4 po) ou de longs piquets.

8 Placez des pierres plates ou d'autres matériaux à même les déversoirs. Installez des grosses pierres de chaque côté du déversoir pour canaliser l'eau.

7 **Vérifier le niveau.** Une fois toutes les toiles mises en place, remplissez la ou les vasques d'eau comme vous l'avez fait pour le bassin, pour que la toile prenne sa place. Vérifiez la présence de fuites ainsi que le niveau de l'eau sur le bord de chacune des vasques. Si vous remarquez des écarts de hauteur, ôtez ou ajoutez de la terre sous la toile selon le besoin pour mettre la vasque de niveau. Pour maintenir la toile en place pendant que vous ajoutez la bordure, enfoncez des clous de 10 cm (4 po) dans la toile à chaque 30 cm (1 pi) environ autour des rebords.

8 **Réaliser la finition de la cascade.** Placez d'abord les pierres en saillie ou tout autre matériau de bordure en travers et de chaque côté du déversoir. Pour créer un effet plus naturel, vous pouvez mettre des pierres en arrière de la chute d'eau, en dessous du déversoir, afin de camoufler la toile. La surface supérieure des pierres qui forment le déversoir doit se trouver juste en dessous du niveau de l'eau du ruisseau ou de la vasque située en amont de lui pour que l'eau puisse s'écouler d'une vasque à l'autre sans déborder sur les rives. Mettez la pompe en route et regardez de quelle manière l'eau ruisselle sur chaque déversoir. Ajustez au besoin la hauteur et l'angle des pierres pour créer une cascade esthétique. Quand le résultat vous plaît, placez les autres pierres sur le pourtour de chaque

vasque ou sur les rives du ruisseau pour camoufler le rebord de la toile. Vous pouvez cimenter les pierres pour éviter qu'elles ne glissent dans l'eau. On peut ajouter d'autres pierres sur le parcours de la cascade pour modifier le mouvement de l'eau. Il est préférable toutefois de ne pas mettre de gravier dans le lit du ruisseau car il serait vite comblé d'algues et de sédiments.

9 **Réaliser l'aménagement paysager.** Si vous réalisez une cascade d'aspect naturel, disposez des roches et des pierres supplémentaires de différentes tailles aux alentours des chutes d'eau. Prévoyez des poches de plantation entre les pierres pour les arbustes, annuelles, couvre-sol, plantes grasses et autres.

Mélangez des grosses pierres, des pierres de taille moyenne et des cailloux pour éviter d'avoir une cascade qui ressemble à un gros tas de roches artificiel.

Installer la pompe

Suivez les indications du manufacturier relatives à l'installation de la pompe. Quand vous commandez la pompe, commandez aussi tous les raccords, robinets et tuyauterie requis pour faire fonctionner la cascade. Commandez en même temps tout autre élément que vous voulez inclure, par exemple un filtre séparé ou une fontaine. Tel qu'il a été mentionné précédemment, vous

9 Complétez l'aménagement de la cascade en plaçant des pierres pour dissimuler les bords de la toile. Mettez la pompe en marche et observez l'écoulement de l'eau. Des pierres placées dans le lit du ruisseau et dans les vasques modifieront le ruissellement de l'eau. Essayez différentes dispositions et grosseurs de pierres.

devriez commander un cordon électrique suffisamment long pour aller de l'emplacement de la pompe jusqu'à la prise électrique (pour plus de détails sur le raccordement des filtres dans le système, voir page 39).

L'installation électrique

Dans un grand nombre de municipalités, l'installation doit être effectuée par un électricien agréé. Dans tous les cas, avant de commencer les travaux, vous devriez consulter le code d'électricité pour connaître les spécifications relatives à une installation électrique extérieure. Veillez à ce que toutes les prises, fils et raccords soient conçus pour un usage extérieur. La plupart des petites pompes submersibles sont munies d'un cordon étanche qui se branche sur un disjoncteur de fuite à la terre, lui-même logé dans un boîtier électrique étanche. Dans le cas de certaines pompes plus grosses (submersibles et extérieures), on branche le cordon directement dans le circuit et la connexion se fait dans une boîte de jonction étanche localisée près du bassin. Cette méthode requiert l'ajout dans le circuit d'un disjoncteur de fuite à la terre, soit dans le panneau principal soit dans un panneau secondaire. Dans les deux cas, il est bon d'effectuer l'installation de sorte à pouvoir commander la pompe par le biais d'un interrupteur situé dans la maison. Si possible, placez la prise ou la boîte de jonction dans un endroit discret et protégé, par exemple sous une terrasse ou contre un bâtiment. Si le câble que vous utilisez n'est pas destiné à un usage extérieur, placez-le dans une gaine électrique en PVC (gris). Dans les deux cas, enterrez le câble à une profondeur minimale de 45 cm (18 po) pour qu'il ne soit pas touché par les bêches, motoculteurs ou autre matériel de jardinage. Encore là, vérifiez les normes du code d'électricité relatives aux installations électriques extérieures (voir Accès aux commodités, page 9).

La tuyauterie

Les besoins en tuyauterie dépendront du modèle de la pompe, de la longueur de tuyau nécessaire et du nombre d'éléments qu'elle alimente. Certaines pompes sont munies d'un tube en plastique transparent bon marché, semblable à celui qu'on utilise pour les pompes d'aquarium mais d'un plus gros diamètre. Même si ce tube convient aux petits parcours, il présente plusieurs inconvénients. Premièrement, les parois minces du tube s'écrasent et s'entortillent facilement ; on ne peut donc pas les enterrer ni leur donner des angles aigus. D'un autre côté, si le tube est exposé au soleil, des algues vont se former à l'intérieur de ses parois et ralentir le mouvement de l'eau. Une exposition répétée au soleil finira par le rendre cassant et il faudra le remplacer régulièrement.

Une solution consiste à faire passer un petit bout de tube flexible depuis la pompe jusqu'au bord du bassin puis à le raccorder à un tuyau rigide en PVC qui se rend jusqu'à la vasque supérieure de la cascade. Vous pouvez aussi utiliser un tube flexible en plastique renforcé de plus haute qualité pour tout le parcours ou encore un tube en vinyle noir spécial vendu par les fournisseurs de pompes. N'utilisez jamais de tuyau d'arrosage.

Quand vous commandez le tube ou le tuyau, le diamètre doit correspondre à celui de la tuyauterie requise pour la pompe ou bien le dépasser. Si vous réduisez le diamètre, la circulation dans la pompe sera réduite.

Quand vous raccordez l'extrémité du tube ou du tuyau d'évacuation au sommet de la cascade, vous allez peut-être constater que la pression de l'eau engendre un jet puissant qui fait éclabousser l'eau en dehors de la vasque. Si cela se produit, faites passer le tuyau sous un petit tas de pierres dans la vasque ou adaptez un petit bout

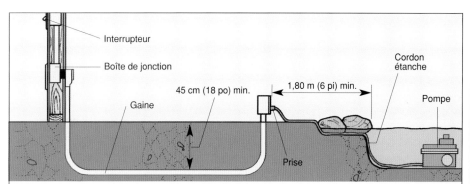

L'installation électrique. Les pompes submersibles doivent être raccordées à un circuit protégé par un disjoncteur de fuite à la terre. Dans le schéma, le circuit est installé de manière à ce que l'on puisse faire fonctionner la pompe à partir de la maison.

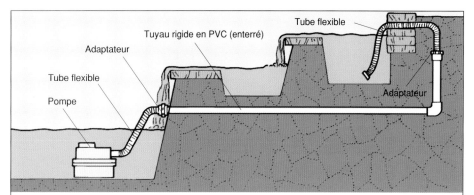

La tuyauterie. Pour les grands parcours, utilisez un tuyau rigide en PVC enterré dans une tranchée creusée le long de la cascade. Raccordez la pompe au tuyau à l'aide d'un petit morceau de tube flexible, ce qui vous permettra de retirer facilement la pompe du bassin pour le nettoyage et l'entretien. Renforcez tous les raccords à l'aide de colliers de serrage.

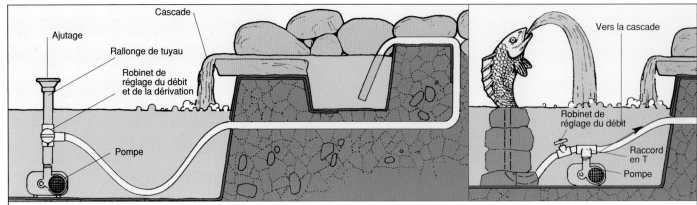

Les raccords. Installez un robinet de réglage du débit dans le plus court des deux tuyaux pour régler le débit vers les deux éléments. En limitant le débit vers un élément, le débit vers l'autre augmente (à gauche). Un robinet de dérivation règle le débit vers la fontaine et la cascade. De nombreuses fontaines à jet en kit sont équipées de ce dispositif.

de tuyau perforé plus large sur l'extrémité de la sortie d'eau.

Les raccords. Les fournisseurs de pompes tiennent une multitude de raccords et d'adaptateurs pour leurs pompes qui permettent de les raccorder à divers jeux d'eau. Votre fournisseur de pompes sera en mesure de vous aider à choisir les raccords nécessaires à votre arrangement. La plupart des raccords pour tuyauterie flexible en plastique sont cannelés et à pression tandis que les raccords pour tuyaux rigides en PVC sont soit filetés soit soudés avec de l'adhésif au PVC. Quand vous utilisez des raccords à pression, installez des colliers de serrage à tous les raccordements pour prévenir les fuites. Certaines pompes demandent des raccords en laiton du côté de l'évacuation, qui peuvent inclure ou non un robinet de réglage du débit. Selon le modèle de la pompe, il faudra peut-être installer un adaptateur destiné à convertir la tuyauterie flexible en tuyauterie rigide en PVC. L'ajout d'un raccord en T muni d'un robinet de dérivation vous permet de faire fonctionner deux éléments en même temps, fontaine et cascade par exemple. Vous pouvez obtenir le même résultat en installant un robinet de réglage du débit sur le tuyau le plus court des deux, tel qu'il est illustré. Les deux types de raccords vous permettent de régler le débit d'eau acheminé vers chacun des éléments. Si vous n'installez pas un robinet de dérivation ou de réglage du débit, l'eau pompée prendra le chemin qui offre le moins de résistance (en l'occurrence le tuyau le plus court). Il s'ensuivra soit un débit

trop faible pour alimenter un jeu d'eau, soit un débit trop fort pour alimenter l'autre, soit les deux.

Rappelez-vous que la pompe devrait avoir une capacité suffisante pour alimenter les deux éléments, le bassin et la cascade. Lorsque vous raccordez la cascade, réduisez au minimum les courbures aiguës et les angles droits car ils ont tendance à réduire la circulation de l'eau. Employez autant que possible des robinets et des raccords en plastique non toxique ; les raccords faits en laiton ou autres métaux peuvent subir une corrosion et être nocifs pour les poissons. Dans les tuyauteries de bassin et piscine, les robinets à bille en plastique ont remplacé en grande partie les anciens robinets-vannes en métal.

Les robinets à flotteur. Un autre raccord que vous pouvez trouver utile est un robinet à flotteur destiné à maintenir le niveau de l'eau constant. Il en existe plusieurs types. Ils

fonctionnent à la manière d'un robinet à flotteur dans un réservoir de toilette : quand le niveau de l'eau baisse, le robinet s'ouvre et l'eau est amenée au bassin par l'intermédiaire d'un tuyau relié à un robinet proche. Le système est séparé de la tuyauterie de la pompe. L'illustration décrit un robinet à flotteur tout simple (semblable à ceux qu'on utilise dans les refroidisseurs à évaporation). Le robinet est enserré dans une tige d'acier elle-même cimentée entre des pierres juste au-dessous du niveau de l'eau. Le robinet est relié à l'alimentation principale par le biais d'un tuyau en plastique ou en cuivre de 6 mm (1/4 po) de diamètre. Quand vous installez un système de ce genre, veillez à ce que l'eau ne risque pas d'être siphonnée vers la canalisation principale d'eau. Là encore, vérifiez le code en vigueur pour l'installation.

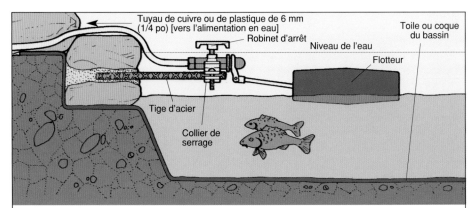

Les robinets à flotteur. Un robinet à flotteur fixé sur le bord du bassin est un système peu coûteux qui maintiendra le niveau de l'eau constant. Des dispositifs similaires se vendent chez les détaillants d'articles pour jardins d'eau.

chapitre 6

Les fontaines

Les types de fontaines

On distingue essentiellement deux types de fontaines : les fontaines à jet et les fontaines ornementales.

Les jets

Un jet se compose d'un ajutage ou d'un anneau fixé au tuyau d'évacuation d'une pompe, au-dessus du niveau de l'eau du bassin, et qui produit un jet d'eau décoratif. Lorsqu'on le fixe à une pompe juste un peu en dessous de la surface de l'eau, un jet d'eau réalisé à partir d'un long tuyau vertical produit un effet moussant semblable à celui d'un geyser. Pour obtenir un effet moussant plus élevé et plus spectaculaire, il faut vous procurer un ajutage identique à celui de l'illustration. Du fait qu'ils produisent des bulles d'air, les jets moussants sont excellents pour aérer l'eau. Il faut tout de même faire attention à leur taille et à leur emplacement car ils risquent de brasser la vase et les sédiments dans le bassin, ce qui rendrait l'eau trouble. Pour donner un effet intéressant, les jets moussants nécessitent en général des pompes à grand débit. Les schémas illustrent plusieurs jets d'eau courants.

La plupart des ajutages sont en plastique moulé et se vendent avec

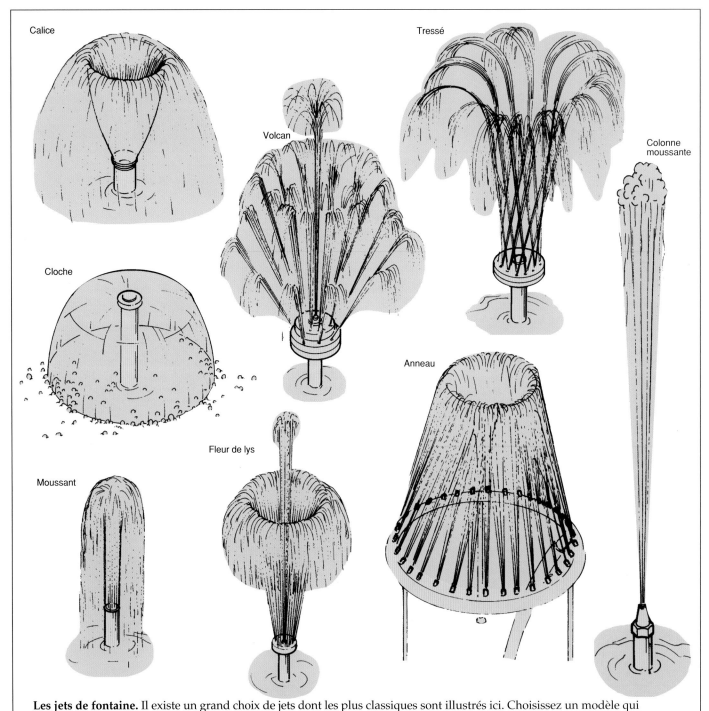

Les jets de fontaine. Il existe un grand choix de jets dont les plus classiques sont illustrés ici. Choisissez un modèle qui correspond à la dimension et au modèle de votre bassin ainsi qu'à l'ambiance que vous y avez créée.

tous les accessoires nécessaires à leur installation, y compris la pompe adéquate et, généralement, un robinet de réglage du débit qui vous permet de régler la hauteur du jet. Les ajutages haut de gamme peuvent se démonter pour faciliter le nettoyage de leurs orifices ; les ajutages de moins bonne qualité sont difficiles à nettoyer. Les ajutages en laiton s'emploient en général pour les grands jeux d'eau mais ils coûtent plus cher que ceux en plastique. Remarquez que les jets à petits orifices s'obstruent facilement et qu'il faudra les nettoyer souvent.

Si vous optez pour un jet d'eau, placez-le dans un endroit à l'abri pour que le vent ne trouble pas le jet ni n'envoie l'eau en dehors du bassin. Les ajutages qui produisent un jet délicat ou un fin voile d'eau (comme le jet cloche) doivent être installés dans un endroit où il n'y a pas de vent du tout.

Les fontaines ornementales

En matière de fontaines ornementales, le choix est vaste : personnages grecs classiques et gargouilles murales côtoient l'art moderne et les grenouilles ou poissons cracheurs. La majorité des fontaines ornementales vendues dans les jardineries et les spécialistes en patio sont en béton ou en ciment préfabriqué. Elles présentent toute une gamme de couleurs et de finis destinés à imiter d'autres matières comme la pierre, l'albâtre ou le bronze. Certains fournisseurs tiennent aussi des fontaines sous forme de sculptures modernes en cuivre, en laiton ou en bronze. Bien que le choix sur place soit souvent limité, la plupart des fournisseurs peuvent commander ce que vous voulez par catalogue. Dans le passé, les fontaines ornementales étaient souvent faites en plomb. Si vous dénichez une de ces antiquités, méfiez-vous car le plomb est toxique pour les poissons et les autres organismes aquatiques.

Vous pouvez acheter ces fontaines ornementales seules pour les placer dans le bassin ou à côté de lui. Vous pouvez aussi acheter ces fontaines sous forme d'ensemble autonome complet incluant les vasques préfabriquées et les systèmes de filtration et de pompe intégrés. Des piédestaux préfabriqués de différentes hauteurs sont également

offerts pour installer les fontaines ou les jets d'eau dans le bassin. Les modèles de fontaines sont trop nombreux pour être énumérés ici. Assurez-vous toutefois d'en choisir une qui correspond au style de votre bassin ou de votre jardin. Une grande fontaine risque d'écraser

un petit bassin et de troubler la surface de l'eau ; il sera alors difficile de cultiver des plantes aquatiques ou de voir les poissons sous l'eau. Si le jet est trop large par rapport à la taille du bassin, il s'ensuivra une évaporation excessive de l'eau.

Les fontaines ornementales. Qu'elles soient traditionnelles ou contemporaines, les fontaines ornementales apportent une touche raffinée au jardin. Consultez les catalogues chez votre détaillant d'articles pour patios ou pour jardins.

Installer un jet

La manière d'installer un jet dépend en grande partie de la pompe que vous avez choisie et des raccords qu'elle comprend. Il existe tellement de modèles qu'il nous est impossible de donner des directives pour chaque cas. La solution la plus simple, c'est d'acheter un jet d'eau en kit qui comprend l'ajutage de votre choix, tous les raccords nécessaires et une pompe adaptée. Les raccords se fixent soit par vissage soit par pression et ils ne prennent que quelques minutes à assembler.

Dans la plupart des pompes submersibles conçues pour des fontaines, l'évacuation d'eau est située sur le dessus de la pompe. De cette manière, le tuyau d'écoulement rigide en PVC du jet peut se fixer directement à l'évacuation (sur certains modèles, il faut un adaptateur). Vous coupez le tuyau de la longueur voulue au-dessus du niveau de l'eau (en principe de 10 à 15 cm [4 à 6 po]) puis vous fixez l'ajutage, tel qu'il est illustré. Si la pompe est munie d'une évacuation latérale, il faudra installer un coude. Si vous faites fonctionner un autre élément, comme une cascade ou une deuxième fontaine, installez sur le tuyau un robinet de réglage de dérivation, tel qu'il est illustré. Pour empêcher les ajutages de se boucher, fixez une crépine de filtre ou un préfiltre spéciaux dans l'arrivée de la pompe (en vente chez le détaillant de pompes). Vous pouvez aussi acheter un modèle qui comprend la pompe et le filtre dans le même boîtier. Il faut avoir facilement accès au filtre pour le nettoyage courant. Pour installer la fontaine, raccordez les éléments et l'ajutage selon les directives du manufacturier. Placez la pompe dans un endroit plat et nivelé du fond du bassin. Veillez à ce que la pompe et le tuyau d'évacuation soient très bien soutenus pour que le tuyau reste parfaitement vertical une fois mis en place. Si l'ensemble a tendance à pencher ou à bouger, posez quelques briques autour de la pompe et dessus pour la coincer. Pour savoir quel raccordement électrique effectuer pour la pompe, suivez les indications données page 49.

Jet moussant souterrain

Ce simple jeu d'eau donne l'illusion

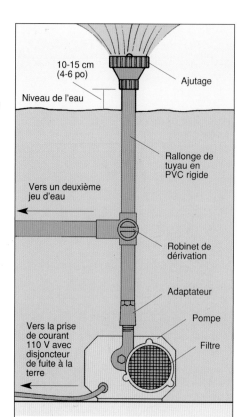

Installer un jet d'eau. Les ajutages de jets de fontaine peuvent se raccorder directement à la pompe par le biais de rallonges de tuyaux. Placez l'ajutage de 10 à 15 cm (4 à 6 po) au-dessus de la surface de l'eau. Vous pouvez ajouter un robinet de dérivation pour faire fonctionner un deuxième élément (autre fontaine, cascade, filtre de bassin, etc.)

d'une source ou d'un geyser naturels qui jaillissent de la terre. C'est une solution de rechange intéressante pour qui ne veut pas avoir à entretenir un bassin. Tel qu'il est illustré dans le croquis, vous réalisez une « fosse » doublée de toile et remplie de pierres dans laquelle vous placez la fontaine. La fosse doit contenir le volume d'eau correspondant à la capacité de la pompe que vous avez choisie. Pour un effet naturel, utilisez un jet moussant tel que celui qui est illustré. Vous pouvez aussi utiliser des petits jets en cloche et des jets simples. Il faut simplement vous assurer que le jet ne dépassera pas les bords de la fosse. Après avoir mis la toile en place, placez l'assemblage dans le fond de la fosse. Posez ensuite un grand panier de plantation (utilisé pour les plantes aquatiques) retourné par-dessus la pompe pour éloigner les graviers et les pierres de l'arrivée d'eau. Taillez un petit trou dans le fond du panier, faites-y passer la rallonge de tuyau puis installez l'ajutage du jet. Remplissez ensuite la fosse de pierres de rivière, de galets ou de petites pierres décoratives lisses de 5 à 10 cm (2 à 4 po) de diamètre. Maintenez les bords de la toile avec des pierres plus grosses ou prolongez simplement la couche de pierres sur la bordure de la fosse à votre guise.

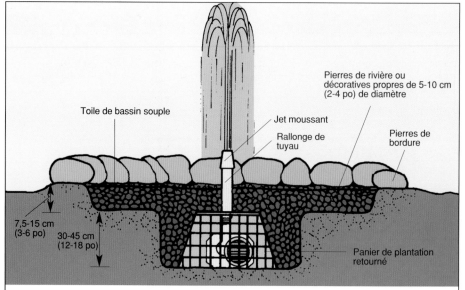

Jet moussant souterrain. Les jets moussants souterrains conviennent bien à de tout petits jardins. Ils constituent une solution de rechange intéressante si vous ne voulez pas entretenir un bassin.

Installer une fontaine ornementale

La plupart des fontaines ornementales sont accompagnées des instructions nécessaires à leur installation. Associez celles-ci aux quelques conseils suivants pour installer le modèle que vous avez choisi.

Fontaine autonome

Dans ce genre de fontaine, une petite pompe submersible loge dans le piédestal de la statue, lui-même inséré dans la vasque. Le cordon de la pompe descend le long d'une conduite de trop-plein présent à l'intérieur de la vasque et de la base creuse. Dans la plupart des fontaines autonomes, il y a un accès à la pompe qui permet le nettoyage et l'entretien. Pour l'assemblage, conformez-vous aux directives du fabricant.

Fontaine ornementale placée dans le bassin

Vous pouvez aussi placer une fontaine ornementale dans le bassin même. Le schéma ci-dessous illustre l'installation de base. La statue est munie d'un tuyau d'alimentation inséré dans sa base et que vous pouvez raccorder à la pompe au moyen de tube flexible, tel qu'il est illustré. Vous pouvez poser la statue sur un piédestal creux déjà placé dans le bassin ou bâtir un socle en brique, pierre ou autres éléments de maçonnerie cimentés. Certaines fontaines ornementales sont très lourdes ; elles ont donc besoin d'une base ferme dans le fond du bassin.

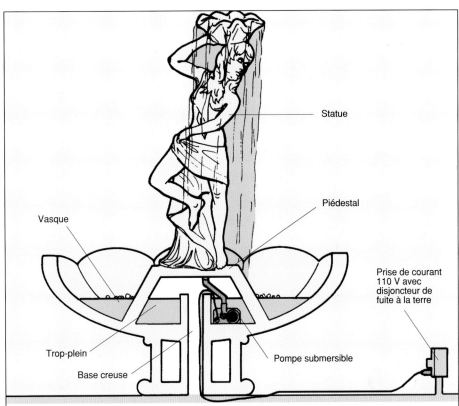

Fontaine autonome. Les fontaines autonomes comprennent une pompe et tous les raccords requis pour leur fonctionnement. Une pompe submersible miniature est dissimulée dans le piédestal creux de la statue, lui-même logé dans la vasque.

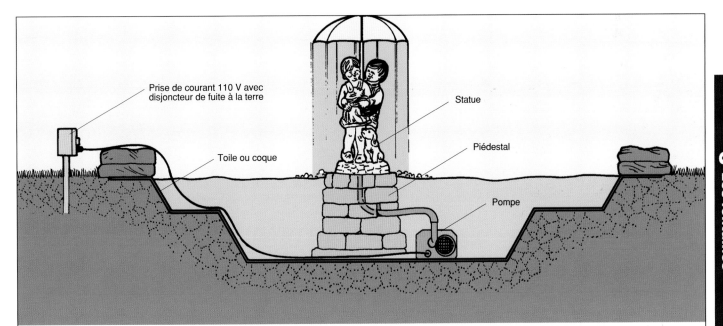

Fontaine ornementale placée dans le bassin. Pour placer une fontaine ornementale dans un bassin, vous pouvez acheter un piédestal préfabriqué conçu à cette fin ou bâtir vous-même un socle en pierre, en brique ou en tout autre élément de maçonnerie. Faites le socle creux pour pouvoir raccorder la statue à la pompe.

Installer la fontaine

1 Bâtir une semelle. Pour les fontaines lourdes (plus de 45 kg [100 lb]), prévoyez une semelle appropriée en dessous de la toile ou de la coque du bassin. Il s'agit ordinairement d'une fondation en béton de 10 cm (4 po) d'épaisseur, de quelques centimètres plus large et plus longue que le socle ou le piédestal de la statue. Si vous n'ajoutez pas de semelle, le poids de la statue risque de déchirer la toile souple ou de faire craquer la coque rigide du bassin. Faites donc la semelle avant d'installer la coque ou la toile. Dans le cas de statues plus légères, il suffira de bien tasser la terre à l'emplacement de la statue avant de mettre en place la coque ou la toile.

2 Installer le piédestal. Si vous avez acheté une statue dotée d'un piédestal, placez-le dans le bassin par-dessus la semelle de béton. Sinon, bâtissez un piédestal en briques ou en pierres cimentées. Si vous employez une toile souple, découpez un petit morceau de feutre géotextile pour le mettre entre la base du piédestal et la toile. Laissez une ouverture près de la base du piédestal pour faire passer les tubes flexibles de la pompe vers la statue. Pour faciliter le nettoyage et l'entretien, placez la pompe à l'extérieur du piédestal.

3 Installer la pompe. Placez la pompe à côté du piédestal. Faites passer le tube flexible depuis la pompe à travers le piédestal, en laissant un morceau de tube dans le haut du piédestal pour raccorder la statue ou le sujet cracheur.

4 Installer la statue. Avec l'aide de quelqu'un, posez la statue sur le piédestal. Inclinez-la légèrement pour effectuer le raccordement entre le tuyau d'évacuation de la pompe et le tube situé à la base de la statue (il peut y avoir besoin d'un adaptateur). Consolidez le raccord au moyen d'un collier de serrage puis replacez la fontaine dans sa position définitive. Il ne faudrait pas cimenter ou sceller d'une quelconque manière la statue sur le piédestal car vous pourriez éventuellement avoir besoin de remplacer le tube d'évacuation.

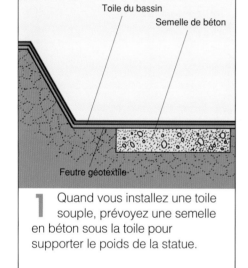

Toile du bassin
Semelle de béton
Feutre géotextile

1 Quand vous installez une toile souple, prévoyez une semelle en béton sous la toile pour supporter le poids de la statue.

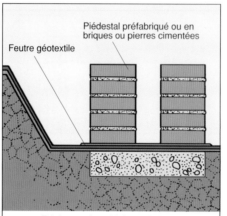

Feutre géotextile
Piédestal préfabriqué ou en briques ou pierres cimentées

2 Bâtissez le piédestal. Laissez une ouverture à sa base pour y faire passer le tube d'évacuation de la pompe. Un feutre géotextile protège la toile sous la base.

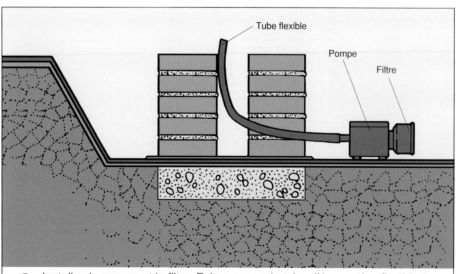

Tube flexible
Pompe
Filtre

3 Installez la pompe et le filtre. Faites passer le tube d'évacuation flexible à travers la base et laissez un surplus pour faciliter le raccordement avec la statue.

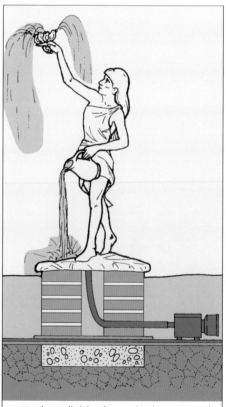

4 Avec l'aide de quelqu'un, posez la statue sur le piédestal et raccordez le tube d'évacuation au raccord situé dans la base de la statue.

chapitre 7

Les ponts

Les ponts en bois

Un pont en bois qui enjambe un ruisseau ou une partie d'un grand bassin sert à la fois d'élément architectural et de raccourci pour aller d'une rive à l'autre. Il est facile d'harmoniser un pont au style que vous avez choisi pour votre bassin ainsi qu'aux éléments qui l'entourent. Au moment de sa conception, donc, il faut tenir compte de son environnement. Déterminez aussi où il va débuter et se terminer et quel impact il aura sur l'emplacement des allées et autres éléments de l'aménagement déjà existants. Calculez sa dimension pour qu'il soit en proportion avec le bassin ou le ruisseau. Dans le cas d'un ruisseau très étroit ou d'un petit bassin, une ou deux planches reliant les deux rives pourraient suffire. Pour un bassin plus grand, augmentez la largeur et la hauteur du pont en conséquence. Construisez le pont suffisamment large pour qu'il soit sécuritaire tout en le gardant proportionnel au plan d'eau et à l'aménagement environnant. Les ponts situés à plus de 30 à 45 cm (12 à 18 po) de la surface de l'eau devraient être dotés d'un garde-fou, tant pour la sécurité que pour l'esthétique. Les ponts qui mesurent plus de 2,40 m (8 pi) de long requièrent des piliers de soutien fichés dans le bassin à mi-chemin ou bien tous les 1,80 à 2,40 m (6 à 8 pi). Les schémas ci-dessous illustrent plusieurs modèles de ponts simples. Servez-vous de bois traité sous pression ou de bois imputrescible ainsi que d'articles de quincaillerie qui résistent à la rouille pour réaliser tous les éléments du pont.

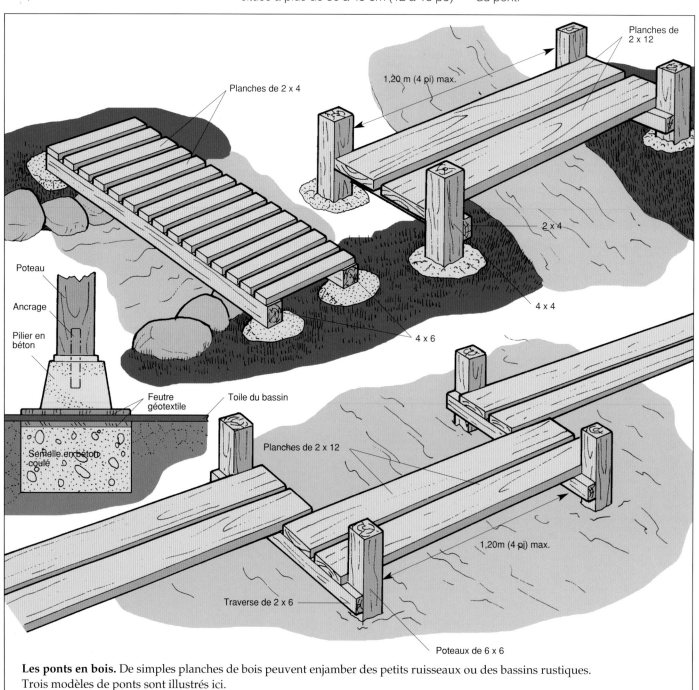

Les ponts en bois. De simples planches de bois peuvent enjamber des petits ruisseaux ou des bassins rustiques. Trois modèles de ponts sont illustrés ici.

Ajouter une passerelle

Vous pouvez construire une passerelle toute simple au-dessus de votre bassin à l'aide de pièces doubles de 2 x 8 pour les poutres de soutien, de pièces de 2 x 6 pour l'appontage et les garde-fous, de pièces de 4 x 4 pour les poteaux et de boulons de carrosserie de 1 cm (3/8 po). Les explications suivantes décrivent la construction d'un pont de 1,50 m (5 pi) de large qui va enjamber une dépression de 1,80 m (6 pi) de large.

1. Placer les poteaux. Placez deux séries de trois poteaux de 4 x 4 de chaque côté de la dépression. Pour un pont muni d'un garde-fou, les poteaux doivent dépasser de 1,20 m (4 pi) au-dessus du niveau du sol. S'il n'y a pas besoin de garde-fou, faites dépasser les poteaux de 30 cm (1 pi) au-dessus du niveau du sol. Installez deux des poteaux de chaque série à 60 cm (2 pi) de centre à centre et le troisième à 75 cm (2 pi 6 po) de centre à centre. Les deux séries doivent être placées à 2,10 m (7 pi) de centre à centre pour un pont d'une longueur de 2,40 m (8 pi). Placez trois pièces doubles de 2 x 8, de 2,40 m (8 pi), à cheval sur la dépression de manière à ce qu'elles soient aussi parallèles et d'équerre que possible et aussi proches que possible de leur position définitive.

Mesurez puis marquez l'emplacement des poteaux à l'aide de piquets. Creusez ensuite des trous jusqu'à au moins 15 cm (6 po) en dessous de la profondeur de gel.

2. Installer les poteaux. Fichez les poteaux de 4 x 4 dans un lit de gravier. Coulez du béton jusqu'à 2,5 cm (1 po) environ au-dessus du niveau du sol. Dirigez le béton vers l'extérieur des poteaux pour faciliter l'écoulement. Les poteaux doivent dépasser la hauteur prévue pour les poutres. Vous pourrez couper les poteaux une fois les poutres mises en place. Lorsque le béton a durci, vous pouvez poser les poutres.

3. Installer les poutres. Placez les poutres de 2 x 8 contre la face intérieure des poteaux extérieurs, et contre un des côtés du poteau du milieu. Vérifiez l'horizontalité des poutres avec un niveau de menuisier. Effectuez les ajustements puis maintenez les poutres à l'aide de serre-joints. Quand les poutres sont de niveau, fixez-les aux poteaux avec des clous de 10 cm (4 po). Coupez les poteaux pour qu'ils affleurent avec le dessus des poutres (si vous n'installez pas de garde-fou).

4. Assembler les poutres et l'appontage. Après avoir fixé les poutres aux poteaux, percez deux trous de 1 cm (3/8 po) dans les poteaux et les poutres là où elles se rejoignent. Fixez les poutres aux poteaux à l'aide de boulons de carrosserie de 1 cm par 18 cm (3/8 x 7 po).

Clouez les planches de 2 x 6 de l'appontage en travers des poutres. Les planches doivent dépasser les poutres de 12 cm (4 3/4 po) de chaque côté. Pour que l'appontage soit d'équerre, commencez à une extrémité des poutres et faites affleurer la première planche de 2 x 6 avec l'extrémité des poutres. Espacez les planches de 6 cm (1/4 po) ; servez-vous d'un morceau de bois pour garder la distance égale. Clouez les planches dans les poutres à l'aide de clous de 7,5 cm (3 po).

5. Installer le garde-fou. Si le code de la construction l'exige, il vous faudra installer un garde-fou. Les montants de 4 x 4 doivent dépasser les poutres de 90 cm (3 pi) ou de la hauteur prévue par le code en vigueur. Fixez une main courante de 2 x 4 ou de 2 x 6, la rive dirigée vers le haut. Les garde-fous doivent être vissés à chaque poteau avec un minimum de deux boulons de carrosserie de 1 cm (3/8 po) de diamètre.

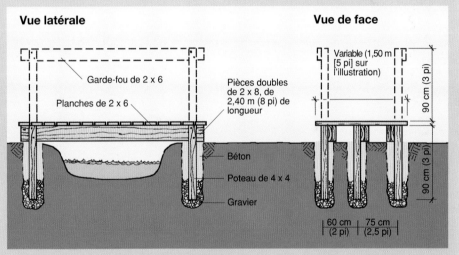

Vue latérale

Garde-fou de 2 x 6

Planches de 2 x 6

Pièces doubles de 2 x 8, de 2,40 m (8 pi) de longueur

Béton

Poteau de 4 x 4

Gravier

Vue de face

Variable (1,50 m [5 pi] sur l'illustration)

90 cm (3 pi)

90 cm (3 pi)

60 cm (2 pi)   75 cm (2,5 pi)

Un pont en arc

Si vous voulez une passerelle légèrement en arc, découpez le dessus de pièces de 2 x 10 en un arc à partir du centre en direction des extrémités où il va mesurer 17 cm (7 po) de largeur. On peut voûter le garde-fou de la même manière. Pour obtenir une courbure régulière, plantez des clous à chaque extrémité de la planche à la marque des 17 cm (7 po) et arquez un morceau de bois de 6 mm (1/4 po) d'épaisseur posé contre les clous en direction du centre de la planche. Tracez une ligne de découpe avec un crayon. Faites la découpe avec une scie sauteuse portative et poncez-la avec une ponceuse à courroie.

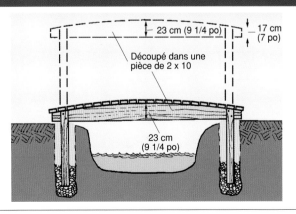

23 cm (9 1/4 po)   17 cm (7 po)

Découpé dans une pièce de 2 x 10

23 cm (9 1/4 po)

Les pierres de gué

Les pierres de gué sont pratiques pour traverser un bassin ou un ruisseau, tout en étant visiblement moins gênantes qu'un pont. Elles peuvent conduire à l'autre rive ou simplement à quelque distance du bord d'où l'on peut observer ou nourrir les poissons. Pour les bassins classiques, vous pouvez utiliser des pierres de gué ou des dalles de béton coulé carrées ou rectangulaires, de gros carreaux de carrière, de la pierre de taille ou tout autre élément de maçonnerie géométrique. Ces masses reposent en général sur des piliers de briques ou de blocs de béton cimentés. Pour les bassins rustiques, vous pouvez employer des roches plates aux formes irrégulières ou des dalles de pierre naturelle disposées de manière asymétrique. Si le bassin est très peu profond, vous pourrez poser de grosses pierres ou des carreaux de pierre à même le fond du bassin. Sinon, édifiez une couche de pierres plates cimentées ou encore des piliers de béton coulé, de brique ou de bloc pour supporter les pierres.

Si vous avez installé une toile souple ou une coque préfabriquée, il vous faudra construire une semelle solide pour supporter les pierres et les piliers (s'il y en a). Protégez la toile ou la coque en les coinçant entre deux couches de feutre géotextile, tel qu'il est illustré. Les pierres de gué sont en général d'un plus bel effet lorsqu'elles sont placées en zigzag ou selon un tracé irrégulier en travers du bassin plutôt qu'en ligne droite. Placez les pierres suffisamment rapprochées pour qu'on puisse marcher sans avoir à sauter d'une à l'autre. Veillez à ce que les pierres soient assez grandes pour pouvoir y garder l'équilibre. La surface des pierres doit être suffisamment élevée par rapport au niveau de l'eau pour qu'elles restent tout le temps sèches. Évitez de les placer près d'une cascade ou d'une fontaine : des algues ou de la mousse poussent sur des surfaces mouillées, ce qui rendrait les pierres glissantes.

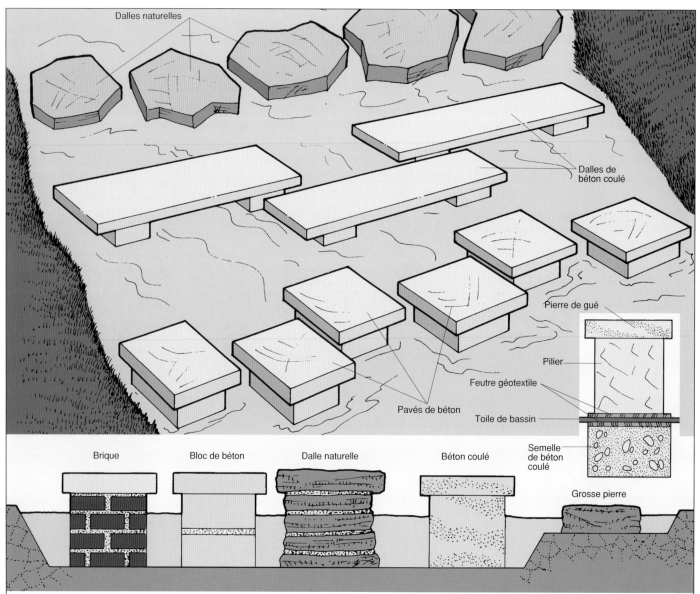

Dalles naturelles

Dalles de béton coulé

Pierre de gué

Pilier

Feutre géotextile

Toile de bassin

Semelle de béton coulé

Pavés de béton

Grosse pierre

Brique — Bloc de béton — Dalle naturelle — Béton coulé

Les pierres de gué. Les pierres de gué sont d'un plus bel effet si elles sont disposées en zigzag ou selon un tracé irrégulier. En eau profonde, il faut construire des piliers pour supporter les pierres.

chapitre 8

Une eau saine

Avoir une eau équilibrée

Le terme « équilibre biologique » signifie simplement qu'il doit exister un équilibre écologique sain entre les plantes, les poissons et les autres organismes aquatiques présents dans le bassin. Différents facteurs ont une influence sur le bassin, entre autres sa dimension et sa profondeur, la quantité d'ombre et d'ensoleillement, la température de l'eau, la circulation de l'eau, la présence de polluants ainsi que le type et le nombre de plantes et de poissons présents. Selon l'impact de chacun de ces facteurs sur le bassin, il peut falloir de plusieurs semaines à plusieurs mois pour atteindre cet équilibre. Une fois que l'eau du bassin sera équilibrée, elle restera assez claire en autant que vous n'y ajoutez pas des poissons, des plantes ou d'autres organismes vivants. Si vous le faites, il vous faudra bien entendu prendre d'autres mesures pour garder à l'eau sa limpidité. Vous pouvez agir comme pour une piscine en introduisant un filtre mécanique ou biologique, en employant occasionnellement des produits chimiques et en effectuant un nettoyage courant.

Explication du processus

Imaginez votre bassin comme un petit écosystème autonome. Lorsque vous introduisez des plantes aquatiques, elles puisent des matières nutritives (nitrates et phosphates) directement dans l'eau ainsi que dans la terre (si elles sont en pot). Ces matières nutritives, associées à la lumière du soleil, permettent aux plantes de pousser et de rejeter de l'oxygène dans l'eau au cours d'un processus appelé la photosynthèse. Lorsqu'on introduit des poissons, ils absorbent l'oxygène produit par les plantes. Dans une certaine mesure, les poissons se servent des plantes comme source d'alimentation et limitent la croissance des végétaux. En retour, les poissons fournissent des matières nutritives (du gaz carbonique par la respiration et de l'azote par les excréments) qui favorisent la croissance des plantes. Les plantes à feuilles flottantes comme les nénuphars sont utiles aux poissons car elles leur procurent de l'ombre durant la saison chaude et elles contrôlent la température de l'eau. Les plantes servent aussi de refuge aux poissons pour se cacher des autres poissons, des chats, des ratons laveurs, des oiseaux et des autres prédateurs. De leur côté, les poissons permettent de contenir les populations d'insectes herbivores. Les détritivores comme les escargots et les têtards participent aussi à l'équilibre du bassin en consommant les restes de nourriture pour poissons, les algues et les débris organiques. Quand les quantités de poissons et de plantes présents dans un bassin sont stabilisées (aucun d'entre eux n'est en surnombre), le bassin atteint un équilibre biologique.

Dans les bassins équilibrés, l'eau est relativement claire car les plantes et les poissons aident à contrôler le développement des algues qui peuvent rendre l'eau trouble.

Contrôler les algues

La première fois que vous remplirez votre bassin, l'eau sera limpide. Au bout de quelques jours, cependant, elle se brouillera et prendra une couleur verdâtre. Ce phénomène est causé par une algue microscopique flottante unicellulaire. Si vous ne prenez pas de mesures pour enrayer ce problème, ces algues vont former une soupe aux pois épaisse.

Il est normal pour un bassin d'avoir une prolifération d'algues tant que les plantes aquatiques ne s'y sont pas établies. Les plantes submergées (oxygénantes) finissent par affamer les algues en puisant directement dans l'eau les matières nutritives présentes. Les plantes à feuilles flottantes comme

Avoir une eau équilibrée. 1. Les poissons : ils procurent des matières nutritives aux plantes (gaz carbonique et azote) ; ils se nourrissent d'insectes gênants et de certaines algues. **2.** Les plantes submergées (oxygénantes) : elles fournissent le plus haut taux d'oxygène parmi toutes les plantes ; elles puisent les matières nutritives et contrôlent ainsi le développement des algues ; elles procurent un complément alimentaire et une surface de ponte pour les poissons. **3.** Les détritivores (escargots et têtards) : ils se nourrissent d'algues, de débris végétaux en décomposition et d'excréments de poissons ; ils procurent des matières nutritives aux plantes. **4.** Les nénuphars et les plantes flottantes : ils procurent de l'oxygène et de l'ombre ; leurs feuilles aident à prévenir l'évaporation de l'eau ; ils servent d'abri aux plus gros poissons pour échapper aux prédateurs ; ils puisent les matières nutritives et contrôlent ainsi le développement des algues. **5.** Les plantes de berges : elles fournissent de l'oxygène ; elles puisent les matières nutritives et contrôlent ainsi le développement des algues ; elles servent d'abri aux petits poissons et aux escargots ; les espèces les plus hautes ombragent le bassin le matin de bonne heure et en fin d'après-midi.

les nénuphars et diverses variétés de plantes flottantes puisent elles aussi des matières nutritives et elles cachent la lumière du soleil dont les algues ont besoin pour se multiplier. L'ajout de poissons et d'escargots de même que la venue éventuelle et imprévue d'insectes alguivores comme les puces d'eau participent aussi au contrôle des algues, quoiqu'à un degré moindre que les plantes.

Vous devez vous attendre à toujours avoir quelques algues dans votre bassin, même s'il a atteint un équilibre. La légère teinte verdâtre causée par les algues flottantes ne nuit pas aux poissons ni aux plantes et elle permet même de cacher les pots et la pompe posés au fond du bassin. À mesure que le bassin prend de la maturité, la plupart des algues flottantes seront remplacées par différentes algues visibles - filamenteuses, moussues et visqueuses - qui vont se développer sur les parois et le fond du bassin, sur les plantes, les pierres et toute autre surface disponible. Une petite population d'algues visibles est en fait une bonne chose puisqu'elle va aider à camoufler l'aspect artificiel de la toile ou de la coque. Comme les autres plantes, elles oxygènent elles aussi l'eau. Lorsque leur multiplication devient excessive, cependant, elles peuvent causer l'asphyxie des autres plantes et former des tapis de mousse inesthétiques à la surface de l'eau. Dans un tel cas, il faut que vous ôtiez à la main cette mousse du bassin.

L'ajout d'un filtre mécanique ou biologique aide à contrôler les deux types d'algues d'une manière continue. Les cellules et les spores des algues restent prises dans la masse filtrante. Vous pouvez également employer des algicides chimiques pour un premier contrôle aussitôt après avoir installé le bassin et lorsqu'il y a une prolifération d'algues occasionnelle par la suite. Méfiez-vous cependant de ces algicides : ils sont toxiques pour les poissons et ils auront, pour la plupart, un impact sur la croissance des autres plantes aquatiques. Informez-vous auprès de votre détaillant en articles pour jardins d'eau ou pour aquariums sur les produits à utiliser et les doses recommandées. De plus, les algicides constituent un traitement temporaire destiné à tuer les algues présentes dans le bassin ; ils n'empêchent pas le développement de nouvelles algues, qui est inévitable. Si les algues constituent un problème permanent, consultez un spécialiste en bassins d'eau.

Démarrer le processus

Pour atteindre l'équilibre dans un bassin neuf, il faut procéder comme suit :

Analyser l'eau. La première fois que vous remplissez le bassin, l'eau peut renfermer des polluants chimiques et minéraux qui sont toxiques pour les poissons et les plantes. Les substances chimiques sont notamment le chlore, le bioxyde de chlore, les chloramines, l'ammoniac et plusieurs autres présentes dans l'eau du robinet. On retrouve aussi dans l'eau divers polluants dégagés par les matériaux utilisés pour construire le bassin ainsi que des substances chimiques toxiques qui peuvent avoir été déversées ou dispersées dans l'eau à partir de sources extérieures. Le chlore libre contenu dans l'eau du robinet s'évapore en général au bout de quelques jours. Les autres produits chimiques, comme la combinaison du chlore et de l'ammoniac, prennent beaucoup plus de temps pour se décomposer.

Avant d'introduire des plantes ou des poissons dans le bassin, vous devez analyser l'eau. Après avoir rempli le bassin, attendez au moins une semaine pour effectuer l'analyse. Vous pouvez détecter la présence dans l'eau de la plupart des substances toxiques en analysant le pH, l'ammoniac, les chloramines, les nitrites et la dureté de l'eau. Le pH est la mesure de l'acidité ou de l'alcalinité. L'échelle va de 0 (très acide) à 14 (très alcalin), 7 étant neutre (et indiquant que l'eau est pure). Une eau saine a un pH qui se situe entre 6,5 et 8,5. Des trousses d'analyse de l'eau se vendent pour évaluer un ou plusieurs des paramètres énumérés ci-dessus. Vous pouvez acheter ces trousses dans les animaleries, les jardineries et les détaillants de bassins, ou encore les commander par catalogue chez des spécialistes de jardins d'eau. Les indications incluses dans la trousse vous diront quels conditionneurs d'eau utiliser pour corriger la situation. Certains détaillants de bassins d'eau et certaines animaleries proposent un service complet d'analyse de l'eau et ils peuvent vous conseiller sur les traitements requis.

Corriger les paramètres de l'eau. Une gamme de traitements est offerte pour équilibrer le pH et éliminer du bassin les substances toxiques. Vous ne devriez toutefois les utiliser que si les analyses indiquent qu'ils sont nécessaires. Certains détaillants de poissons et de plantes recommandent d'apporter au bassin une dose de conditionneur général avant d'introduire des poissons ou des plantes, juste par mesure de précaution. Toutefois, si les analyses indiquent que l'eau est correcte, elle n'a pas besoin de conditionneur. Si vous en employez un malgré tout, suivez les indications données sur l'étiquette. Même si vous utilisez un conditionneur dans le but de rétablir l'équilibre initial de l'eau, vous devriez quand même essayer de déterminer la source de la pollution afin d'éviter des problèmes ultérieurs.

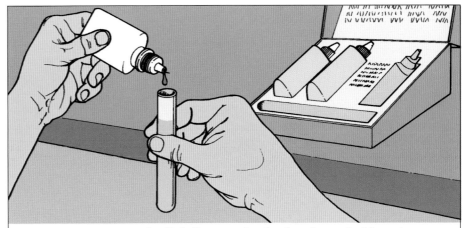

Analyser l'eau. Mesurez le pH de l'eau et recherchez la présence de chloramines, d'ammoniac et d'autres substances toxiques (voir texte). Les trousses d'analyse de l'eau se vendent dans les animaleries et chez les fournisseurs d'articles pour jardins d'eau.

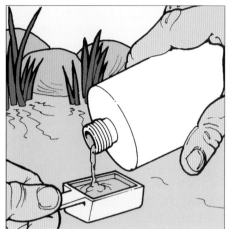

Corriger les paramètres de l'eau. Si nécessaire, ajoutez un conditionneur d'eau pour éliminer le chlore et d'autres substances chimiques nocives. Suivez les indications sur l'étiquette.

Enlever les algues et les débris végétaux. En présence d'algues, traitez l'eau avec un algicide. Enlevez les feuilles et les autres débris à l'aide d'un ramasse-feuilles.

Dans les bassins neufs, de la chaux dégagée par le béton, le ciment ou le mortier peut causer une alcalinité élevée. Vous pouvez régler ce problème en traitant le béton ou le mortier avec une solution vinaigrée ou un durcisseur de béton commercial, tel qu'il est expliqué pages 20 et 29. La tuyauterie en métal, les peintures à bassin, les teintures et préservateurs à bois, les pâtes à joints de tuyauterie et diverses autres substances chimiques présentes dans les matériaux à bassin peuvent eux aussi empoisonner les poissons et les plantes. Laissez tous ces produits bien sécher avant de remplir le bassin. Si vous avez déjà rempli le bassin et que vous soupçonnez une pollution de ce genre, videz le bassin, nettoyez comme il faut toutes ses surfaces et ses éléments et remplissez-le de nouveau (voir page 74 comment vider un bassin). Si vous pensez qu'il y a des concentrations trop élevées de substances chimiques dans l'eau de canalisation, communiquez avec la municipalité ou la compagnie responsable pour savoir quelles substances chimiques elles ont utilisées et comment les neutraliser.

Enlever les algues et les débris végétaux. Même s'il n'y a pas besoin d'ôter complètement les algues du bassin avant d'y mettre des poissons ou des plantes, vous pouvez contrôler leur prolifération grâce à un algicide (voir les précautions à prendre page 62, Contrôler les algues). Si vous avez installé un filtre, faites-le fonctionner en permanence pendant les premiers jours avant d'introduire des plantes et nettoyez tous les jours les filtres mécaniques. Enlevez aussi du bassin, tous les jours, les feuilles, fleurs, brindilles, résidus de gazon et autres débris avec un ramasse-feuilles ou une épuisette de piscine.

Introduire des poissons et des plantes. Après avoir rempli le bassin, attendez de quelques jours à une semaine avant de mettre des plantes. Attendez encore deux à trois semaines, le temps pour les plantes de s'établir (et de démarrer le processus d'oxygénation) avant d'ajouter poissons, escargots, têtards et autres organismes aquatiques. La taille et la quantité de plantes et de poissons qu'un bassin sera en mesure de garder sont fonction de divers facteurs environnementaux, entre autres l'oxygène, l'ensoleillement et les matières nutritives présentes. Un bassin doté d'une bonne circulation d'eau et d'une bonne filtration supportera un plus grand nombre de poissons qu'un bassin stagnant sans filtration. Un bassin ombragé conviendra mieux aux poissons mais vous limitera dans le choix de plantes aquatiques. Il vous faudra du temps et de l'expérience pour découvrir ce que vous pouvez ou non introduire dans le bassin et parvenir à un équilibre entre vie végétale et vie animale.

Pour les débutants, voici quelques formules qui vous aideront à peupler votre bassin :

- Deux touffes de plantes submergées (oxygénantes) au mètre carré (verge carrée).

- 2,5 cm (1 po) de poissons rouges ou 15 mm (1/2 po) de koï par 12 à 20 L (3 à 5 gal) d'eau, ou 37 cm (15 po) de poissons au mètre carré (verge carrée) à une profondeur de 45 à 60 cm (18 à 24 po) (3 poissons de 12 cm [5 po] par exemple). N'oubliez pas que petit poisson deviendra grand.

- Un nénuphar moyen ou grand au mètre carré (verge carrée) ou

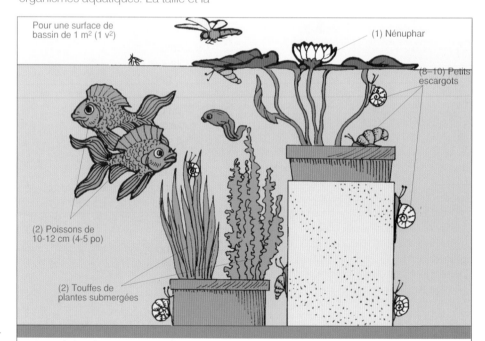

Introduire des poissons et des plantes. Ajoutez d'abord les plantes. Attendez quelques semaines pour qu'elles amorcent le cycle de l'oxygène. Ajoutez ensuite les poissons et les escargots. Basez-vous sur les proportions indiquées ci-dessus par mètre carré (ou verge carrée) de surface de bassin.

suffisamment de nénuphars, de lotus ou de plantes flottantes pour couvrir 50 à 70 pour cent de la surface du bassin durant les mois d'été. La plupart des plantes aquatiques perdent leurs feuilles et leurs tiges en hiver mais ressurgissent au printemps. Une fois établis, les nénuphars et autres plantes aquatiques auront besoin d'être divisés ou taillés de temps en temps pour éviter une surpopulation.

- De huit à dix petits escargots ou de six à huit gros au mètre carré (verge carrée).

La filtration

Un filtre a pour fonction principale de retenir les matières en suspension comme les excréments de poissons, débris organiques en décomposition, algues, restes de nourriture pour poissons et autres particules minuscules qui rendent l'eau trouble. Certains types de filtres éliminent aussi l'ammoniac et d'autres substances chimiques toxiques. Même si les filtres ne sont pas indispensables pour conserver un bassin équilibré et de qualité, ils peuvent améliorer le processus et augmenter de manière importante la clarté de l'eau. Si vous souhaitez avoir un petit bassin décoratif peuplé de quelques poissons et plantes et que ça ne vous dérange pas d'avoir de temps à autre une eau trouble, vous n'avez pas besoin de filtre. Si, par contre, vous voulez une eau cristalline ou si vous voulez élever un grand nombre de poissons, un bon filtre sera certainement utile. Les bassins à koï surtout exigent une eau limpide, assez pure, tant pour pouvoir observer les poissons que pour les maintenir en santé. On distingue deux types de filtres : mécaniques et biologiques.

Les filtres mécaniques

Il existe une vaste gamme de filtres mécaniques pour bassins. Certains sont raccordés à l'arrivée de la pompe (filtres à aspiration), d'autres sont raccordés à la sortie de la pompe (filtres à pression). Certains sont placés à l'intérieur du bassin, d'autres en dehors. La plupart des petits bassins (moins de 4000 L [1000 gal]) emploient un filtre à cartouche immergé. Ces filtres comportent une masse filtrante en polyester ondulé qui ressemble beaucoup à un filtre à huile d'automobile et fonctionne de la même manière. Les autres filtres de petite taille

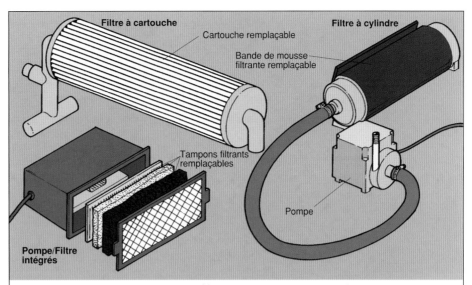

Les filtres mécaniques. Des petits filtres mécaniques sont spécialement conçus pour les bassins de jardin. Plusieurs genres de filtres sont illustrés ici (les modèles peuvent varier selon les fabricants).

emploient des petits cribles ou bien des tampons ou des bandes de mousse ou d'ouate comme matière filtrante. Certains offrent la possibilité d'ajouter du charbon actif ou un minéral appelé zéolithe qui permettent d'éliminer de l'eau l'ammoniac et d'autres impuretés chimiques. Aucun de ces filtres n'est meilleur qu'un autre. L'efficacité d'un filtre dépend davantage de la dimension du filtre (surface de la masse filtrante en mètre carré ou en pieds carrés, et quantité d'eau qui la traverse en litres/heure ou gallons/heure). Les fabricants spécifient en général la performance de leurs filtres en indiquant par exemple « pour bassins d'au plus 1200 L (300 gal) ».

Dans le cas de très grands bassins (4000 L [1000 gal] ou plus), vous pouvez installer un filtre à diatomite ou un filtre à sable à grand débit semblables à ceux qu'on utilise dans les piscines. Il faut installer ces grands filtres en dehors du bassin et ils nécessitent une grosse pompe et une tuyauterie importante. Ne confondez pas les filtres mécaniques avec les crépines et les préfiltres intégrés aux pompes. Les crépines ont pour but d'empêcher les déchets d'obstruer le rotor de la pompe et les jets de fontaine (voir page 40).

Pour être efficaces, les filtres mécaniques requièrent un débit élevé. En principe, vous aurez besoin d'une pompe qui doit faire circuler la totalité de l'eau du bassin dans le filtre toutes les deux heures (ou le temps recommandé par le fabricant). Tout comme les pompes, la capacité d'un filtre est

mesurée en litres (ou en gallons) à l'heure. Si vous avez installé une fontaine ou une cascade, il vous faudra sans doute une pompe plus grande pour fournir une circulation suffisante dans le filtre et en même temps faire fonctionner la fontaine et la cascade. Votre détaillant en pompes peut vous aider à choisir la taille de filtre correspondant à votre utilisation. Si votre budget vous le permet, optez pour un filtre qui dépasse les exigences minimales de votre bassin. Plus le filtre est grand, moins vous aurez à le nettoyer. Le seul inconvénient des filtres mécaniques, c'est qu'ils ont besoin d'être nettoyés fréquemment, au moins une fois par semaine et en général tous les jours en été. Le nettoyage ne prend normalement que quelques minutes : vous enlevez simplement le tampon, la cartouche ou le crible et vous les rincez au jet.

Les filtres biologiques

Ces filtres fonctionnent grâce aux bactéries utiles (appelées nitrifiantes) qui se nourrissent des impuretés contenues dans l'eau. Le filtre comporte au moins deux couches de gravier ou d'un autre matériel qui abritent de fortes concentrations de bactéries nitrifiantes présentes à l'état naturel dans le bassin. Pendant que l'eau passe lentement dans la masse filtrante, les bactéries décomposent les excréments de poissons et les autres matières organiques. Durant le processus, l'ammoniac toxique dégagé par les excréments de poissons et les matières

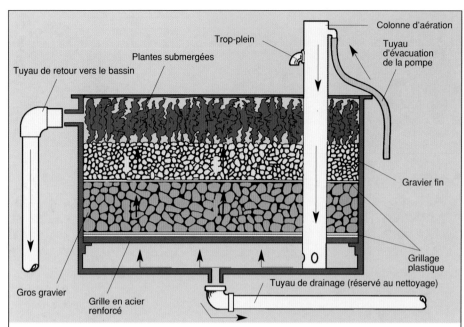

Les filtres biologiques. Des filtres biologiques simples emploient des bactéries utiles, appelées nitrifiantes, pour éliminer les déchets du bassin.

organiques en décomposition est transformé en nitrates inoffensifs qui retournent au bassin pour nourrir les plantes. D'autres microorganismes spécialisés se nourrissent d'algues unicellulaires qui passent dans le filtre. Le schéma ci-dessus illustre un filtre biologique simple. Des types de filtres plus complexes incluent des préfiltres mécaniques ou des chambres remplies de charbon actif, de zéolithes ou d'autre matériel de filtration. Tel qu'il est illustré, l'eau souillée est aspirée du bassin vers une colonne d'aération et de là vers le fond du filtre où elle remonte doucement à travers les masses filtrantes en gravier (ce qui donne aux bactéries l'occasion de bien se nourrir !). Elle ressort près du haut du filtre par simple gravité et retourne dans le bassin par un tuyau. La colonne d'aération, associée à des plantes oxygénantes plantées dans la couche supérieure de gravier, fournit l'oxygène nécessaire à la culture bactérienne ainsi qu'à la vie aquatique dans le bassin. Les couches de gravier font aussi office de filtre mécanique grossier qui retient les particules en suspension dans l'eau, la rendant ainsi plus claire. Pour nettoyer le filtre, vous avez juste à ouvrir un robinet de drainage dans le bas du filtre pour ôter la vase et les sédiments qui se sont accumulés et rincer brièvement les masses filtrantes pour déloger les particules emprisonnées (ne vous servez pas de jets forts avec de l'eau chlorée du robinet car ils risquent de

déloger ou même de tuer les bactéries utiles dans la masse filtrante).

Contrairement aux filtres mécaniques, pour fonctionner efficacement, les filtres biologiques ne requièrent pas une pompe à grand débit (la pompe n'a besoin de faire circuler le volume total d'eau que toutes les quatre à six heures). En outre, ils n'ont besoin d'un nettoyage que tous les un ou deux mois. L'inconvénient des filtres biologiques, c'est que ce sont de gros bacs peu esthétiques situés à l'extérieur du bassin, à un endroit plus élevé que le niveau de l'eau. Il faut donc trouver un moyen de camoufler le filtre dans l'aménagement (derrière une remise ou sous une terrasse surélevée). Plusieurs fabricants viennent de mettre sur le marché des petits filtres biologiques immergés mais leur capacité se limite aux bassins de 1200 L (300 gal) ou moins.

Lorsque vous recherchez un filtre, qu'il soit mécanique ou biologique, demandez conseil à un détaillant indépendant qui en tient plusieurs marques car de nombreux fabricants de filtres surestiment la capacité de filtration de leurs produits.

Autres appareils de filtration

En plus des filtres mécaniques et biologiques, vous pouvez ajouter d'autres systèmes de filtration à votre aménagement. Les stérilisateurs d'eau à ultraviolets s'emploient parfois en

association avec un filtre biologique. Raccordés à l'arrivée du filtre, ces systèmes consistent en une ampoule à ultraviolets placée dans un manchon transparent et étanche, lui-même logé à l'intérieur d'un tube raccordé au système. Lorsque des organismes microscopiques sont exposés à une lumière ultraviolette concentrée, l'énergie des UV fait exploser le constituant de leur cellule (protoplasme). Les algues, bactéries, virus et certains parasites des poissons peuvent être tués ainsi. La lumière favorise aussi l'agglutination des particules organiques minuscules qui seront par la suite retenues dans le filtre. Les stérilisateurs à UV sont onéreux et ne sont en général pas nécessaires si vous avez un bon filtre biologique.

Les ozonateurs. Ces appareils stérilisent l'eau en réduisant les substances chimiques organiques en leurs deux composants principaux : le gaz carbonique et l'eau. Les ozonateurs convertissent l'oxygène présent dans l'air en ozone puis ils le diffusent dans l'eau. L'ozone réussit à décomposer les chloramines, l'ammoniac, les nitrates et les phosphates en gaz inoffensifs qui s'échappent du bassin. À l'instar des stérilisateurs UV, l'ozone favorise l'agglutination des particules microscopiques de déchets toxiques pour qu'ils soient plus facilement retenus par le filtre. Employés depuis des années pour stériliser piscines et spas, les ozonateurs servent de plus en plus dans les bassins à koï car ils débarrassent l'eau des nitrates qui doivent être autrement consommés par les plantes. Ils constituent un bon investissement si vous souhaitez avoir un bassin à poissons avec une eau cristalline et peu ou pas de plantes.

Les filtres végétaux naturels. Voici une autre alternative pour les bassins qui ont peu ou pas de plantes. Le filtre n'est rien d'autre qu'un petit bassin ou un grand bac contenant un épais tapis de plantes aquatiques telles que aponogéton odorant, cresson de fontaine, galane glabre ou jacinthe d'eau, placé entre la sortie du filtre et le bassin principal. En consommant les nitrates et les autres matières nutritives produites par le filtre biologique, les plantes réduisent la prolifération d'algues dans le bassin principal. Elles peuvent aussi servir d'élément décoratif dans l'aménagement paysager.

chapitre 9

La vie dans le bassin

Les plantes aquatiques

Quand on entend plantes aquatiques, on pense tout de suite aux nénuphars (ou nymphéas). Les catalogues spécialisés en articles pour jardins d'eau et les ouvrages qui traitent de bassins accordent une immense place aux nénuphars et aucun jardin d'eau ne serait complet sans en avoir au moins un spécimen. Cependant, de nombreuses autres plantes aquatiques conviennent aux bassins de jardin. Certaines, comme les plantes submergées (oxygénantes), remplissent une fonction purement utilitaire ; d'autres présentent des feuilles originales ou des fleurs spectaculaires. La plupart des gens qui créent un jardin d'eau souhaitent avoir une grande variété de plantes aussi bien dans le bassin que dans son environnement afin de créer un intérêt visuel.

Les nénuphars

Il existe des centaines, voire des milliers, de variétés de nénuphars. On les classe en deux grandes catégories : les rustiques et les tropicaux.

Les nénuphars rustiques sont des plantes vivaces qui résistent au gel. Dans les climats tempérés ou froids, ils meurent jusqu'à leurs racines durant la saison froide puis ils resurgissent au printemps. Dans les climats chauds (où il ne gèle pas fort), ils gardent leurs feuilles toute l'année, mais certaines espèces ne donnent pas bien dans les environnements tropicaux et

subtropicaux. La plupart des nénuphars rustiques se caractérisent par des fleurs qui flottent à la surface de l'eau ou la dépassent un peu. Certaines variétés sont parfumées ; d'autres le sont peu ou pas du tout.

Les nénuphars tropicaux sont sensibles au gel, ce qui veut dire qu'ils risquent de mourir s'ils sont exposés à répétition à une forte gelée. Même s'ils peuvent survivre aux hivers des zones tropicales et subtropicales (sud de la Floride et de la Californie, par exemple), on les considère comme des plantes annuelles dans presque toutes les autres régions du continent nord-américain. Pour les conserver durant l'hiver, vous devrez les rentrer dans une serre. Les nénuphars tropicaux se distinguent par leur parfum fort et leurs fleurs qui s'élèvent bien au-dessus de la surface de l'eau. Si vous voulez des tons de bleu et de violet, vous devrez choisir des nénuphars tropicaux car les nénuphars rustiques n'existent pas dans ces teintes. Très florifères, les nénuphars tropicaux produisent de quatre à cinq fois plus de fleurs que les rustiques. Ce sont aussi des plantes vivipares, ce qui signifie qu'elles sont capables de produire des plantules à la surface de leurs feuilles que l'on peut prélever et replanter. Les nénuphars tropicaux se classent eux-mêmes en deux catégories : ceux dont les fleurs s'ouvrent le jour et ceux dont les fleurs s'ouvrent la nuit. La floraison nocturne commence au crépuscule et se termine entre le milieu de la matinée et midi. Vous n'aurez pas vraiment besoin d'une lampe de poche pour les voir. Grâce à quelques lumières installées autour du bassin, il vous

sera possible de profiter de leur spectacle nocturne impressionnant au cours des chaudes soirées d'été.

Les deux types de nénuphars, rustiques et tropicaux, présentent des variétés qui tolèrent l'ombre et qui ne demandent que trois ou quatre heures de soleil direct par jour ; ils réussiront néanmoins beaucoup mieux s'ils reçoivent davantage de soleil. La plupart des autres variétés exigent un minimum de cinq à six heures de soleil direct par jour.

Il existe un si grand nombre de variétés – de nouvelles étant créées chaque année – qu'en donner une liste exhaustive dépasserait l'objet de cet ouvrage. Nous avons cependant regroupé les variétés les plus populaires dans un tableau page 78. Les catalogues spécialisés en jardins d'eau vous proposeront un vaste choix de nénuphars.

Conseils de plantation. En général, les nénuphars sont parmi les premières plantes offertes par les spécialistes en fleurs aquatiques au début de la nouvelle saison (une fois que le risque de gel est passé). Au lieu d'avoir une plante dotée de feuilles et de fleurs, vous recevrez un bourgeon (appelé un rhizome pour les nénuphars rustiques ou un tubercule pour les tropicaux) muni de quelques pousses. Commandez le nénuphar le plus tôt possible pour qu'il ait la chance de s'établir durant l'été.

Plantez les nénuphars dans des contenants larges mais peu profonds ou dans des paniers spéciaux vendus chez les détaillants de nénuphars. Laissez-leur

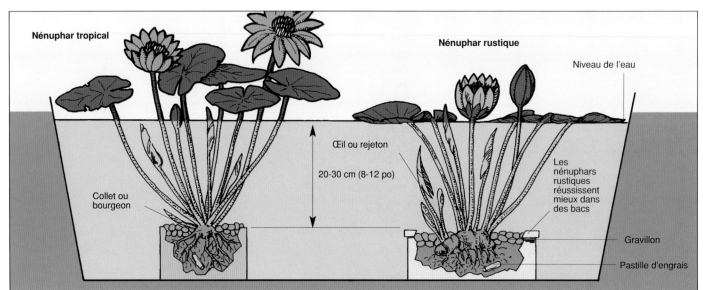

Les nénuphars sont de loin les plantes de bassins les plus populaires. Les nénuphars rustiques sont cultivés comme des vivaces dans la plupart des climats ; les nénuphars tropicaux sont considérés comme des annuelles presque partout sauf dans les régions les plus chaudes du continent américain.

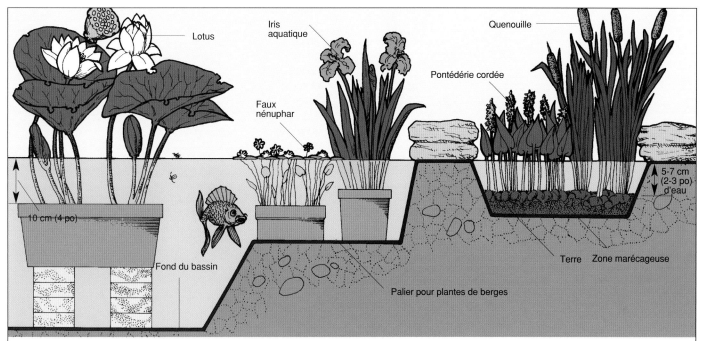

Lotus

Iris aquatique

Quenouille

Faux nénuphar

Pontédérie cordée

10 cm (4 po)

5-7 cm (2-3 po) d'eau

Fond du bassin

Terre   Zone marécageuse

Palier pour plantes de berges

Les plantes de berges. Ces plantes complètent le décor d'un jardin d'eau. Il en existe des dizaines de variétés dont les plus populaires sont illustrées ici.

beaucoup d'espace pour se développer. Au choix, ajoutez des pastilles d'engrais. Remplissez à moitié le contenant avec du terreau de plantation argileux. Si vous vous servez de paniers de plantation, tapissez-les de toile de jute pour empêcher la terre de se disperser dans l'eau du bassin. Évitez d'ajouter à votre terreau du paillis organique, de la tourbe de sphaigne, du compost, des terreaux de plantation commerciaux ou des engrais horticoles courants. Placez le rhizome des nénuphars rustiques horizontalement, le collet ou les bourgeons placés près du bord du contenant. Pour les nénuphars tropicaux, placez le tubercule verticalement au centre du contenant. Remplissez le contenant de terreau, jusqu'au dessous du collet, et terminez avec une couche de gravillon qui va maintenir la terre en place et protéger les racines qui risquent d'être déterrées ou déplacées par les gros poissons. Pour les nénuphars tropicaux, immergez le pot de sorte que le collet ou le bourgeon soit situé de 15 à 30 cm (6 à 12 po) au-dessous de la surface de l'eau. Pour certains nénuphars rustiques, les bourgeons peuvent se trouver jusqu'à 60 cm (24 po) sous la surface de l'eau même si une profondeur de 15 à 45 cm (6 à 18 po) est la norme pour la plupart des variétés. Durant la période de croissance, vaporisez légèrement les feuilles avec un tuyau d'arrosage pour déloger les pucerons et autres insectes nuisibles (les plantes et les poissons vous en seront reconnaissants).

Vous pouvez ajouter des pastilles d'engrais spécial pour nénuphars à chaque fois que vous les divisez et les rempotez ou bien une fois par an au début de la période de croissance. Vous trouverez des conseils plus spécifiques sur la culture des nénuphars dans les catalogues d'articles pour jardins d'eau.

Les plantes de berges

Il existe une grande variété de plantes des lieux humides que l'on peut planter sur les berges du bassin ou dans une zone marécageuse séparée. Les plantes de berges réussissent aussi très bien dans des jardins en bac. La plupart des plantes de berges donnent mieux dans un terreau riche recouvert de 5 à 7 cm (2 à 3 po) d'eau, même si certaines plantes parmi les plus grandes peuvent pousser dans une eau d'une profondeur de 30 cm (12 po). Les plantes de berges les plus connues sont le lotus, le faux nénuphar, l'iris aquatique, l'aponogéton odorant, les différentes quenouilles, la prêle, la sagittaire, la pontédérie cordée, le trèfle d'eau, la lysimaque, la colocase ou oreilles d'éléphant, le papyrus, le canna aquatique et une grande variété de graminées ornementales aquatiques. Comme dans le cas des nénuphars, il existe des plantes de berges tropicales et d'autres rustiques. Informez-vous dans une pépinière ou chez un détaillant d'articles pour jardins d'eau pour savoir quelles plantes conviennent à votre région.

Conseils de plantation. Les techniques de plantation sont nombreuses et varient selon les espèces. L'essentiel, c'est de ne pas laisser la terre s'assécher. Surveillez toujours le niveau de l'eau, surtout durant la saison estivale. La plantation en pots limite la croissance des racines et vous permet de rentrer pour l'hiver les plantes sensibles au gel. Placez le pot dans un contenant plus grand et étanche puis remplissez ce dernier d'eau afin de garder la terre constamment détrempée. Choisissez un endroit à l'intérieur qui reçoit le soleil direct. Pour transplanter dans le bassin ou la zone marécageuse, procédez comme suit :
Arrosez d'abord les plantes au jet doux pour enlever tout corps étranger puis gardez la plante humide durant toute la plantation. Remplissez le contenant (si vous en utilisez un) de terreau puis ajoutez un bâtonnet d'engrais, comme pour les nénuphars page 68. Si la plante possède un rhizome, taillez-le et plantez-le à plat en plaçant les bourgeons juste au-dessus de la surface de la terre. Les plantes à tubercule seront plantées verticalement. Pour toutes les plantes, tassez bien le terreau autour des racines et recouvrez le tout avec 15 mm (1/2 po) de gravillon lavé. Saturez la terre d'eau puis placez la plante à la profondeur requise dans le bassin ou la zone marécageuse. Vous pouvez consulter un pépiniériste pour obtenir des conseils de plantation plus

spécifiques ou des trucs particuliers aux plantes que vous avez choisies.

Les plantes submergées

Comme leur nom l'indique, les plantes submergées poussent entièrement sous l'eau. Une fois que vous les aurez plantées, il se peut que vous ne les voyiez même plus. Elles jouent pourtant un rôle extrêmement important dans l'écologie du bassin, comme nous l'avons vu dans le chapitre précédent. Appelées aussi plantes oxygénantes, elles incluent certaines des espèces qui poussent dans les aquariums, l'élodée étant la plus commune de toutes. Les autres plantes submergées sont notamment la cabombe aux feuilles dentelées en forme d'éventail, le myriophylle au feuillage très fin (très apprécié des poissons en période de reproduction) et la vallisnérie aux longues feuilles rubanées.

Conseils de plantation. Plantez les végétaux dans des pots remplis de terre pour prévenir une croissance excessive. Ajoutez une fine couche de gros gravier pour maintenir la terre en place et retenir la plante (si les racines se déterrent, la plante flottera à la surface de l'eau). Les plantes peuvent pousser même dans 75 cm (30 po) d'eau mais elles donneront mieux si les feuilles les plus hautes sont immergées à une profondeur de 15 à 30 cm (6 à 12 po) au-dessous de la surface de l'eau. Veillez à ce que la plante au complet soit bien submergée. Pour éviter que les poissons ne broutent trop les plantes (les poissons sont particulièrement friands d'élodée), fabriquez une protection en grillage de plastique léger de 15 mm (1/2 po) d'épaisseur. Enveloppez le pot avec ce grillage de sorte qu'il dépasse d'environ 20 à 25 cm (8 à 10 po) du bord du pot. Fermez les côtés et le dessus à l'aide d'attaches torsadées pour éviter que les poissons ne restent pris au piège. Si vous avez suffisamment de poissons dans le bassin, vos plantes seront toujours bien taillées.

Les plantes flottantes

Ces plantes possèdent des feuilles capables de flotter qui leur permettent de rester à la surface de l'eau tout en ayant leurs racines pendantes dans l'eau, sans avoir besoin de terre. Les plantes flottantes telles que la laitue d'eau, la fougère d'eau et la lentille d'eau sont cultivées pour leur beauté et l'originalité de leur feuillage. Celui-ci fournit un abri aux poissons et permet d'enrayer le développement des algues.

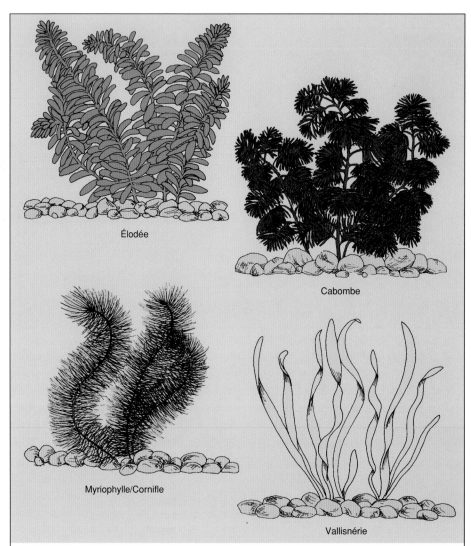

Élodée

Cabombe

Myriophylle/Cornifle

Vallisnérie

Les plantes submergées. Elles sont essentielles à l'équilibre du bassin. Leur principal rôle est d'oxygéner l'eau. Elles servent également de nourriture et d'abri pour les poissons.

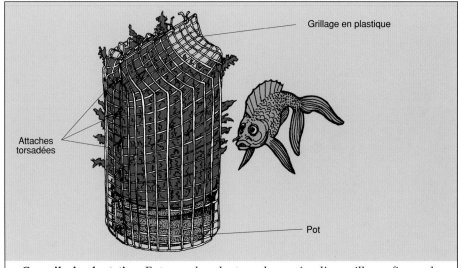

Grillage en plastique

Attaches torsadées

Pot

Conseils de plantation. Entourez les plantes submergées d'un grillage afin que les poissons ne les broutent pas trop.

Certaines variétés comme le pavot aquatique et la jacinthe d'eau produisent également de magnifiques fleurs durant l'été.

Conseils de plantation. Comme les plantes submergées, les plantes flottantes se vendent par touffes. Une fois que vous les aurez déposées dans l'eau, elles ne demanderont aucun soin particulier. Ces plantes sont considérées comme des rustiques dans les climats chauds mais comme des annuelles dans des climats plus froids où le gel les fait mourir. Le seul inconvénient avec les plantes flottantes, c'est qu'elles sont très envahissantes. Durant les mois d'été, elles peuvent se propager très rapidement et couvrir toute la surface d'un petit bassin ; il faut donc les éclaircir à l'occasion pour contenir leur nombre. Dans les climats plus chauds, elles constituent un véritable fléau car elles se multiplient toute l'année et finissent par obstruer les cours d'eau naturels. Pour cette raison, les expéditions entre États sont interdites dans certains États du Sud des États-Unis ainsi qu'en Californie.

Les plantes flottantes. Les plantes flottantes à racines libres s'achètent par touffes. Même si elles ne demandent aucun soin une fois déposées sur l'eau, vous pourriez avoir besoin de les éclaircir pour qu'elles ne colonisent pas tout le bassin.

Les poissons et autres organismes aquatiques

Aucun jardin d'eau n'est complet sans la présence de quelques poissons et escargots aquatiques. Les poissons rouges sont bien sûr les plus populaires mais les carpes japonaises koï ont de plus en plus de succès en raison de leur bon caractère. D'autres espèces, comme les têtards et les salamandres, captivent toujours petits et grands. La section suivante décrit ces occupants des bassins ainsi que quelques autres.

Les poissons rouges

Les poissons rouges, qui font partie de la famille des carpes, sont incroyablement résistants. Ils sont capables de supporter une grande variété de climats et de conditions de l'eau. Dans des conditions favorables, ils se reproduisent facilement dans des bassins extérieurs. Si vous êtes déjà allé dans une animalerie (qui ne l'a pas déjà fait ?), vous savez qu'en dehors des variétés courantes (comète, télescope et queue en éventail), vous pouvez en trouver de plus fantaisie. Contentez-vous des plus communes pour commencer car, en général, elles sont plus résistantes et supportent des écarts de température de l'eau plus importants. Assurez-vous aussi d'acheter des poissons rouges de bassin

qui ont été élevés dans des conditions extérieures. Pour de meilleurs résultats, choisissez des poissons rouges en santé qui mesurent de 7 à 15 cm (3 à 6 po). Évitez les poissons aux nageoires tombantes ou déchirées, aux couleurs ternes ou marbrées, ou qui ont des bosses ou des hématomes sur le corps. Si un ou plusieurs poissons présents dans l'aquarium ont l'air malade, évitez tout l'aquarium car les autres poissons pourraient avoir été infectés.

Les koï

Les koï (ce mot signifie carpes à brocart) japonaises sont de proches parents des poissons rouges mais elles se distinguent facilement d'eux par les courts barbillons sur leur lèvre. Elles sont de couleur argentée, or métallisé, orange vif, blanche, jaune citron et de différentes combinaisons de trois couleurs. Comme dans le cas des poissons rouges, les koï sont élevées pour produire différentes variétés (kohaku, asagi, shusui, koromo et autres). Dans des conditions idéales, ces poissons colorés peuvent mesurer jusqu'à 1,20 m (4 pi) et vivre plus de 100 ans. Cependant, dans un bassin de jardin, elles ont une espérance de vie moyenne d'environ 15 à 20 ans et elles ne mesureront pas plus de 60 cm (2 pi) environ.

On peut facilement apprendre à une koï à venir manger dans la main ainsi que quelques tours simples comme sauter dans un cerceau ou téter un biberon. Il leur arrive souvent de suivre leur maître autour du bassin, dans l'attente d'une gâterie. Les propriétaires de koï assurent que chacun de ces poissons a une personnalité bien à lui.

Koï et poissons rouges font assez bon ménage dans un bassin mais les exigences en matière d'eau sont plus spécifiques pour les koï. À cause de leur grande taille, elles ont besoin d'une profondeur de bassin d'environ 75 à 90 cm (30 à 36 po) même si l'on peut inclure des zones moins profondes pour les observer. Les parois du bassin doivent être raides et doivent dépasser d'au moins 45 cm (18 po) le niveau de l'eau pour que les poissons ne sautent pas hors du bassin. Dans les climats plus froids, les koï ne résisteront en général pas à l'hiver à moins de les rentrer. L'élevage des koï est un loisir spécialisé qui dépasse l'objet du présent manuel mais sur lequel ont été écrits de nombreux ouvrages intéressants.

Les poissons larvivores

Modestes parents des très sophistiqués guppies vendus dans les animaleries, les poissons larvivores (*Gambusia affinis*) sont des indigènes des étangs, lacs et rivières des régions plus chaudes du continent. On les introduit dans les bassins ou lacs artificiels dans le but de contrôler les larves de moustiques et autres insectes gênants. Semblable à un petit vairon, le poisson larvivore peut mesurer environ 2,5 cm (1 po) de long. Ces petits poissons résistants se reproduisent rapidement dans différentes conditions, bien que leur nombre soit généralement contenu par la dimension du bassin et la nourriture disponible.

Les poissons larvivores ne demandent aucun soin particulier. Ils se nourrissent de petits insectes, de larves d'insectes et de restes de nourriture pour poissons rouges. Ils sont en général trop petits (et trop rapides) pour être importunés par les animaux prédateurs. Il arrive que les plus gros poissons, comme les koï ou les poissons rouges, mangent des poissons larvivores mais, en général, ils préfèrent une autre nourriture.

Les poissons larvivores ne sont pas tout à fait aussi intéressants ni attrayants que les poissons rouges ou les koï. Ils peuvent néanmoins jouer un rôle tout aussi important dans le maintien de l'équilibre biologique dans un jardin d'eau. En même temps, ils réduiront de façon significative le nombre d'insectes gênants. Dans certaines régions, vous pouvez obtenir ces petits poissons à peu ou pas de frais dans un organisme local de lutte contre les moustiques ou le service municipal de l'environnement urbain. Vous pouvez aussi prendre une épuisette et un seau et tenter votre chance dans un lac, un étang ou un plan d'eau des environs.

Les poissons d'eau douce

Pour de multiples raisons, les silures (poissons-chats), truites, crapets, crapets arlequins, bars et autres poissons d'eau douce ne donnent pas de bons résultats dans les bassins de jardin. La raison principale en est que les plans d'eau petits et peu profonds ne répondent pas à leurs besoins en matière de température et d'oxygène. La plupart des poissons d'eau douce se sont adaptés à des températures relativement constantes présentes dans les plans d'eau plus grands et plus profonds. Les poissons d'eau douce sont aussi d'une nature agressive et ils harcèlent les petits poissons ou même les dévorent.

Les amphibiens

Grenouilles, tritons, salamandres et tortues sont tous des hôtes possibles d'un bassin.

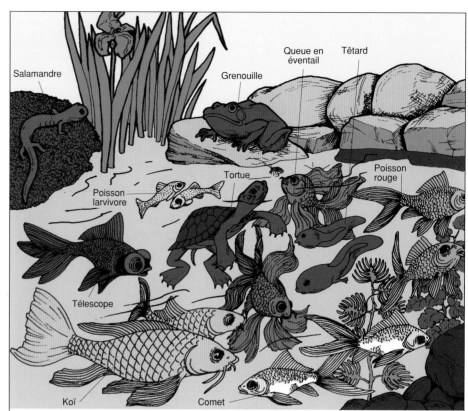

Les poissons et autres organismes aquatiques. On peut introduire de nombreuses espèces aquatiques dans un bassin de jardin ; certaines y viendront même d'elles-mêmes.

Ces animaux viennent parfois sans y être invités, surtout dans les régions rurales. En plus d'être de bons détritivores, les têtards sont intéressants à observer lorsque leurs pattes poussent et qu'ils se transforment en grenouilles. Les tritons subissent une métamorphose semblable, caractérisée par des branchies extérieures duveteuses. Les grenouilles, tortues, salamandres et tritons peuvent visiter le bassin pour y pondre leurs œufs mais ils sont également capables de s'en éloigner pour aller chercher de la nourriture. Faites attention à ne pas mettre trop de têtards dans votre bassin car vous risqueriez de vous retrouver avec un jardin rempli de grenouilles… et de leur coassement !

Les autres organismes aquatiques

Comme nous l'avons déjà mentionné, les escargots aquatiques contribuent à garder le bassin propre en consommant les algues et les excréments de poissons. Ils servent également à maintenir l'équilibre écologique du plan d'eau. Ils sont reconnus comme les « aspirateurs » de la nature car ils ôtent les algues sur les tiges et les feuilles des grandes plantes aquatiques (sans toutefois manger les plantes elles-mêmes). Il en existe de nombreuses

espèces mais la vivipare orientale (*Viviparus malleatus*) est la plus populaire. Vous pouvez acheter des escargots aquatiques dans n'importe quel magasin d'aquariums. En outre, lorsque vous achetez des plantes aquatiques, il y a de fortes chances que vous héritiez de quelques-uns d'entre eux (ou de leurs œufs). N'ayez crainte cependant : ils ne se sauveront pas du bassin pour aller manger les plantes de votre jardin !

Les myes et moules d'eau douce remplissent à peu près la même fonction que les escargots tout en étant plus discrètes. Les myes s'enfouissent sous les contenants de plantes ou dans la boue au fond du bassin. Les moules s'agrippent aux pierres immergées et à d'autres surfaces présentes sous l'eau. Les moules d'eau douce sont particulièrement utiles pour filtrer les algues flottantes et aider à garder l'eau limpide. Souvenez-vous cependant que, aussi nombreux qu'ils puissent être, escargots, myes et moules n'enlèveront pas toutes les algues de votre bassin. Ils ne doivent en aucun cas remplacer un système de filtration ainsi que d'autres méthodes efficaces destinées à contrôler les algues, dont nous avons parlé dans ce chapitre.

chapitre 10

L'entretien

L'entretien du bassin

Garder un bassin propre tient à la fois de l'entretien d'un jardin et de celui d'un aquarium. Même durant les mois d'été où le bassin exige le plus de soins, il ne devrait pas vous falloir plus d'une heure ou deux par semaine pour le garder en bon état.

Maintenir la qualité de l'eau

Durant la saison chaude, le bassin perd son eau par évaporation ; vous devrez donc la remplacer régulièrement. Ce faisant, vous risquez d'introduire des particules chimiques contenues dans l'eau du robinet et qui peuvent se concentrer dans le bassin. Ces particules, associées aux toxines générées par les excréments de poissons et la décomposition de matières végétales, risquent de polluer l'eau et même de perturber son équilibre biologique. Cela se produit rarement dans les bassins dotés d'une proportion convenable de plantes et de poissons ainsi que de systèmes de filtration adéquats. Ce problème peut malgré tout survenir, surtout si vous n'avez pas nettoyé le filtre régulièrement ou si le bassin contient trop de poissons et de plantes. Les bassins peuvent aussi être pollués par les eaux de ruissellement qui renferment des pesticides, des herbicides ou d'autres produits chimiques toxiques.

Pour toutes ces raisons, il faut analyser périodiquement l'eau (environ une fois par mois durant la saison estivale) au moyen d'une trousse d'analyse, tel qu'il est décrit page 63. Si le bassin devient pollué, corrigez la situation en le vidant en partie et en ajoutant de l'eau fraîche. Vous pouvez normalement remplacer jusqu'à 20 pour cent du volume total d'eau sans perturber l'équilibre biologique du bassin. Vous devriez aussi analyser l'eau si vous remarquez que vos poissons montrent des signes de stress (s'ils remontent à la surface pour aspirer de l'air, s'ils nagent de biais ou de manière désordonnée ou s'ils sont léthargiques). Ces comportements peuvent être le symptôme d'une maladie ou simplement la preuve d'un manque d'oxygène dans l'eau, ce qui peut arriver par temps chaud. S'il s'agit d'un problème d'oxygène, videz en partie le bassin et remettez de l'eau fraîche. Faites fonctionner la pompe en permanence pendant environ une semaine. Ajoutez au besoin des plantes oxygénantes. Si vous soupçonnez une maladie, informez-vous à votre magasin d'aquariums sur le traitement à apporter.

Vider et nettoyer le bassin

Si l'eau est extrêmement polluée, colonisée par les algues ou pleine de sédiments, il vous faudra peut-être vider complètement le bassin, le nettoyer puis le remplir de nouveau d'eau fraîche. Vider le bassin peut être également nécessaire pour trouver et réparer une fuite dans la toile ou la coque. Le meilleur moment pour vider le bassin, c'est à la fin de l'été ou au début de l'automne. Les plantes ont presque achevé leur période de croissance ; vous risquez donc moins de les stresser ou d'endommager les nouvelles pousses. Les poissons aussi seront moins stressés à cette époque de l'année et ceux qui sont nés au printemps seront suffisamment gros pour que vous puissiez les attraper à l'épuisette pour les sortir du bassin. Si vous videz le bassin au printemps, vous risquez de déranger les poissons et les amphibiens occupés à pondre ou encore d'abîmer les œufs. Avant de commencer, remplissez un ou plusieurs bacs avec l'eau du bassin. Videz le bassin jusqu'à environ 15 cm (6 po) du fond puis attrapez délicatement les poissons à l'épuisette et déposez-les dans le bac (si vous avez une grande quantité de poissons, une pataugeoire ou une grande poubelle en plastique feront très bien

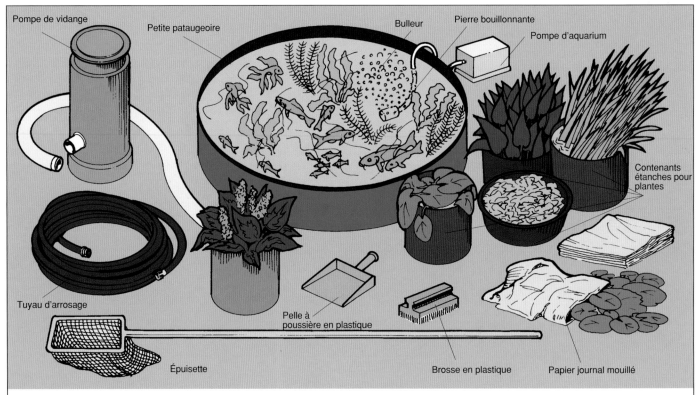

Pompe de vidange — Petite pataugeoire — Bulleur — Pierre bouillonnante — Pompe d'aquarium — Contenants étanches pour plantes — Tuyau d'arrosage — Pelle à poussière en plastique — Épuisette — Brosse en plastique — Papier journal mouillé

Vider et nettoyer le bassin. Sont illustrés ici les outils et accessoires de base requis pour vider et nettoyer un bassin.

l'affaire). Ajoutez au bac quelques touffes de plantes oxygénantes et placez-le dans un endroit ombragé. Comptez environ 4 L (1 gal) d'eau pour 2,5 cm (1 po) de poissons. Si les poissons restent hors du bassin pendant plus de quelques heures, placez un bulleur dans le bac pour fournir davantage d'oxygène.

Selon l'emplacement du bassin, vous pouvez soit siphonner l'eau à l'aide d'un tuyau d'arrosage dirigé vers un endroit plus bas du jardin soit la pomper. Il existe des adaptateurs qui permettent de raccorder un tuyau d'arrosage à différentes pompes de bassin. S'il est impossible d'utiliser la pompe du bassin pour retirer l'eau (ou si cela prendrait trop de temps), vous pouvez louer une pompe de vidange à grand débit dans un magasin de location d'outils. Évacuez l'eau pompée dans une partie du jardin adjacente ; les matières nutritives contenues dans l'eau seront bénéfiques à vos plantes. Ne laissez cependant pas la pompe s'assécher. Videz l'eau restante à l'aide d'un seau en plastique. Enlevez ensuite les plantes et placez-les dans des seaux en plastique remplis d'eau. Si vous avez beaucoup de grandes plantes, comme des nénuphars, enveloppez-les dans du papier journal mouillé ou de la toile de jute, placez-les dans un endroit ombragé et vaporisez-les de temps en temps avec le tuyau d'arrosage pour les garder humides. Une fois le bassin vidé, tamisez la vase et essayez de trouver un maximum d'escargots (vous ne les trouverez sans doute pas tous). Mettez ces escargots dans le bac avec les poissons. Servez-vous d'une petite pelle en plastique pour enlever la vase du fond du bassin. Nettoyez les parois et le fond du bassin avec une brosse dure en plastique ou le jet puissant d'un tuyau d'arrosage. N'employez aucun nettoyant chimique, juste de l'eau. Faites attention à ne pas déchirer ou percer la toile ou la coque. Rincez et videz plusieurs fois le bassin pour en retirer toute la boue. Remplissez le bassin avec de l'eau fraîche et ajoutez un agent de déchloration ou un produit pour purifier l'eau en suivant les indications du fabricant. Versez aussi quelques seaux de l'eau initiale du bassin pour aider à rétablir son équilibre biologique. Ne remettez pas les poissons dans le bassin tant que la température de l'eau n'aura pas atteint un écart de 5 degrés seulement avec celle du bac. Tout comme dans le cas de nouveaux bassins, vous pouvez vous attendre à une prolifération des algues jusqu'à ce que l'équilibre écologique soit rétabli.

L'entretien courant

Comme dans la nature, les bassins de jardin et leurs occupants passent par des cycles saisonniers. Chaque saison apportera sa liste de tâches quelque peu différentes à effectuer.

Au printemps. Vous remarquerez sans doute une multiplication excessive des algues avant que les nénuphars et les autres plantes aquatiques n'aient repoussé, procuré de l'ombre et consommé des matières nutritives. Ce problème se résoudra normalement de lui-même dès que les plantes aquatiques auront fait des feuilles. À la fin du printemps, c'est le temps d'introduire de nouvelles plantes aquatiques, d'ôter le feuillage mort de celles qui sont déjà là et de nettoyer les débris qui se sont amassés dans le bassin durant l'hiver. Une fois le dernier gel passé, vous pouvez diviser, replanter et fertiliser les plantes de berges et les nénuphars. Dans les climats froids, les poissons seront encore léthargiques et faibles suite à l'hibernation mais ils commenceront à se nourrir à mesure que la température se réchauffera. Il est temps de compléter leur alimentation en leur donnant de la nourriture facile à digérer, en petites quantités (informez-vous à ce sujet dans un magasin d'aquariums). Ne les suralimentez pas : le principe, c'est de ne pas donner aux poissons plus de nourriture qu'ils ne peuvent en consommer en l'espace de 10 minutes. Les poissons sont particulièrement sujets aux maladies à cette époque de l'année ; il faut donc les surveiller de près. Du milieu à la fin du printemps, de nombreux poissons et amphibiens vont pondre leurs œufs. Pour favoriser la reproduction, vous pouvez placer dans le bassin des cônes de ponte (en vente par commande postale chez les fournisseurs d'articles pour jardins d'eau). Si vous n'avez pas fait fonctionner la pompe de tout l'hiver, inspectez-la ainsi que le filtre, la tuyauterie et les raccordements électriques. Au besoin, faites-la nettoyer et réparer chez un fournisseur de confiance.

En été. L'activité dans le bassin est à son apogée durant la saison estivale. Les plantes aquatiques poussent rapidement et elles étalent leurs fleurs colorées. Consacrez quelques minutes chaque jour à couper les fleurs fanées et à tailler les plantes. Les insectes vont faire leur apparition ; surveillez donc les végétaux. Évitez l'emploi d'insecticides dans le bassin aussi bien que dans ses alentours. Ramassez à la main les chenilles et autres organismes nuisibles présents sur les plantes et jetez-les dans le bassin pour vos poissons. Servez-vous du tuyau d'arrosage pour éliminer les pucerons sur les feuilles des nénuphars.

Plus il fait chaud, plus l'évaporation de l'eau augmente. Il va donc falloir que vous remplissiez le bassin tous les jours ou tous les deux jours pour maintenir le niveau de

L'entretien courant. Durant la belle saison, taillez les feuilles mortes et les fleurs fanées des plantes aquatiques pour conserver au bassin une apparence propre et esthétique.

En été. N'employez pas d'insecticides dans le bassin ni dans ses alentours. Ramassez les insectes à la main ou ôtez-les des feuilles des plantes au jet d'eau.

l'eau. Il est préférable d'ajouter un peu d'eau chaque jour plutôt qu'une grande quantité une fois par semaine.

À mesure que la température de l'eau augmente, les poissons deviennent sujets à diverses maladies causées par des bactéries, des champignons et des parasites. Examinez souvent les poissons à la recherche de tout symptôme de maladie tel qu'une peau tachée ou décolorée, des écailles manquantes ou des mouvements léthargiques ou désordonnés. Retirez aussitôt les poissons malades du bassin et traitez-les avec les médicaments

appropriés. Renseignez-vous dans un ouvrage sur les poissons ou un magasin d'aquariums pour choisir le traitement qui convient. L'activité dans le bassin étant très forte durant l'été, vous devrez nettoyer la crépine et le filtre de la pompe plus souvent. Lorsque la température de l'eau augmente, le niveau d'oxygène baisse et il est donc conseillé de laisser la pompe fonctionner en permanence.

En automne. Cette saison s'accompagne de la chute des feuilles qu'il faut retirer du bassin tous les jours avant qu'elles n'aient la chance de pourrir et de polluer l'eau. Si le bassin est situé près d'un arbre ou sous un arbre, étendez un filet sur le bassin pour recueillir les feuilles. Vous pouvez retirer celles qui réussissent à tomber au fond du bassin à l'aide d'un râteau souple en plastique, un balai de piscine ou un aspirateur de spa (en vente chez les spécialistes de jardins d'eau). Les balais et aspirateurs de piscine sont également utiles pour enlever la vase au fond du bassin. Veillez cependant à ne pas déranger les plantes enracinées dans le bassin.

Nettoyez fréquemment le filtre de la pompe. Continuez à tailler le feuillage jauni des plantes aquatiques. Les poissons risquent de se montrer plus affamés car ils font des réserves de graisse en prévision de l'hiver.

En hiver. Quand la température de l'eau descend en dessous de 7 °C (45 °F), les poissons deviennent inactifs et cessent de manger. Vous n'avez plus besoin de les nourrir jusqu'au printemps suivant lorsqu'ils

redeviendront actifs. Dans les climats chauds, on peut nourrir les poissons à longueur d'année ou aussi longtemps qu'ils restent actifs. Lorsque la surface du bassin gèle, les poissons risquent de manquer d'oxygène et des gaz toxiques peuvent rester emprisonnés sous la surface de l'eau. Si le bassin est gelé pendant plus de quelques jours, les poissons risquent de s'asphyxier. Dans les climats plus tempérés, où le gel ne dure pas longtemps, vous pouvez poser une casserole d'eau bouillante sur la glace pour la faire fondre et former un trou (voir l'illustration ci-dessous). Dans les climats modérément froids, on peut placer une pompe, pour faire circuler l'eau, dans le fond du bassin, là où l'eau est plus chaude, et diriger le courant vers le haut pour empêcher que la glace ne se forme au milieu du bassin. Dans les climats très rigoureux, servez-vous d'un dégivreur flottant pour bassin qui va maintenir un trou ouvert dans la glace durant tout l'hiver. Si vous ne prévoyez pas utiliser la pompe en hiver, ôtez-la du bassin et videz tous les tuyaux pour éviter qu'ils ne se fendillent. Pour éviter d'endommager un filtre biologique, videz-le et rincez-le. Laissez-le sécher tout l'hiver. Lorsque vous remettrez le filtre en service au printemps suivant, il faudra plusieurs semaines pour que les bactéries utiles se rétablissent dans le matériel filtrant. Rentrez les plantes sensibles au gel.

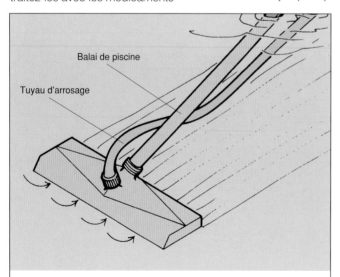

En automne. Raccordé à un tuyau d'arrosage, un balai de piscine enlève la vase et les sédiments du fond du bassin.

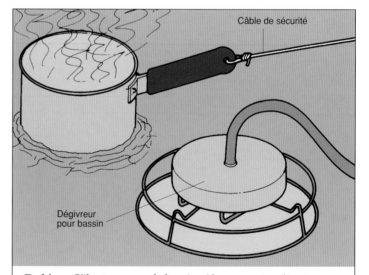

En hiver. S'il est rare que le bassin gèle sous votre climat, servez-vous d'une casserole d'eau bouillante pour faire un trou dans la glace. Dans les climats rigoureux, un dégivreur flottant pour bassin garde un trou ouvert dans la glace durant tout l'hiver.

Réparer une toile de bassin

Les perforations et les déchirures présentes dans les toiles souples peuvent se réparer au moyen des trousses de réparation vendues dans les catalogues d'articles pour jardins d'eau ou là où vous avez acheté la toile. Les trousses contiennent un petit pot de colle et un morceau de toile qui va servir à faire des rustines. Les déchirures présentes dans les toiles en butylcaoutchouc peuvent aussi se réparer à l'aide d'un ruban plastifié spécial.

1 Videz complètement le bassin et cherchez l'origine de la fuite. Assurez-vous de bien nettoyer et sécher la perforation ou la déchirure. Avant d'effectuer la réparation, identifiez l'objet qui a causé la déchirure ou la perforation (pierre pointue, racine, etc.) et ôtez-le. Rembourrez la zone sous la déchirure au moyen de sable humide ou d'un morceau de feutre géotextile.

2 Taillez une rustine dans le même matériau que la toile (PVC ou butylcaoutchouc), environ 5 cm (2 po) plus large et plus longue que la déchirure. Appliquez une couche mince et uniforme de colle sur toute la zone de la déchirure, sur une surface légèrement plus grande que la rustine.

3 Appliquez une couche de colle sur la rustine en veillant à bien couvrir toute sa surface. Laissez la colle prendre un peu (environ 2 ou 3 minutes, ou le temps indiqué dans le mode d'emploi).

4 Posez la rustine en place en pressant fortement et lissez-la pour enlever tout pli. Laissez la colle sécher comme il faut avant de remplir le bassin d'eau.

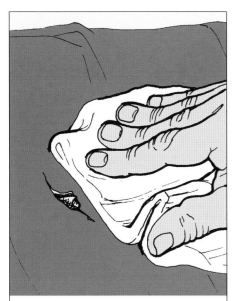

1 Nettoyez et séchez la zone de la déchirure avec un chiffon doux.

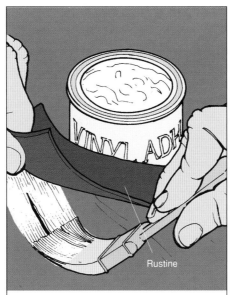

Rustine

2 Appliquez de la colle sur la zone de la déchirure.

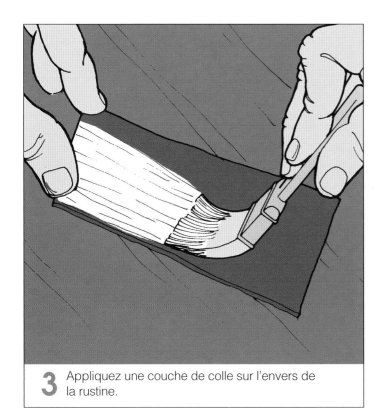

3 Appliquez une couche de colle sur l'envers de la rustine.

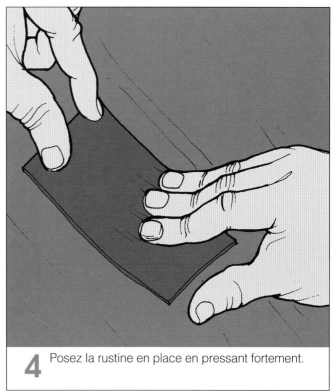

4 Posez la rustine en place en pressant fortement.

Les nénuphars rustiques

Nom	Description	Commentaires
Charlene Strawn	Fleurs transparentes parfumées d'un jaune moyen à cœur jaune foncé. Les fleurs s'élèvent davantage au-dessus de l'eau que la plupart des nénuphars rustiques. La plante a un développement moyen (1,80 à 3,60 m^2 [6 à 12 pi^2]) et elle tolère l'ombre (au moins 3 heures de soleil par jour).	Florifère et floraison prolongée. Facile à multiplier, idéal pour les débutants.
Marliac Carnea (aussi appelé Marliacea Carnea dans certains catalogues)	Fleurs légèrement parfumées d'un rose très clair, de 7,5 à 12,5 cm (3 à 5 po) de diamètre. Petit à moyen développement (30 à 240 cm^2 [1 à 8 pi^2]). Tolère légèrement l'ombre (au moins 4 heures de soleil par jour).	Plante vigoureuse, florifère. Un des premiers nénuphars rustiques à entrer en activité au printemps.
Pink Beauty (anciennement Fabiola)	Fleurs transparentes d'un rose moyen qui fleurissent en grappes de deux ou trois à la fois. Légèrement parfumées. La plante a un petit développement (30 à 180 cm^2 [1 à 6 pi^2]) et elle exige le plein soleil (au moins 6 heures de soleil par jour).	Florifère et floraison prolongée. Plante de taille compacte, excellente pour les petits bassins.
Splendida	Fleurs rouge framboise légèrement parfumées. Développement moyen (1,80 à 3,60 m^2 [6 à 12 pi^2]). Tolère l'ombre (au moins 4 heures de soleil par jour).	Bonne plante de taille moyenne qui convient aux bassins de toute dimension.
Virginia	Grandes fleurs blanches presque doubles à cœur jaune. Non parfumées, floraison prolongée. Tolère l'ombre (au moins 4 heures de soleil par jour).	Fleurs très spectaculaires qui peuvent atteindre 23 cm (9 po) de diamètre. Même s'il tolère la mi-ombre, il donne de meilleurs résultats au plein soleil.

Les nénuphars tropicaux

Nom	Description	Commentaires
Dauben (appelé aussi Daubeniana)	Fleurs miniatures bleu lavande tirant sur le blanc (diamètre d'environ 5 à 10 cm [2 à 4 po]), très parfumées. Petit développement (30 à 90 cm^2 [1 à 3 pi^2]) si on le plante dans des contenants. Tolère l'ombre (au moins 4 heures de soleil par jour). S'ouvre le jour.	Florifère ; a souvent plusieurs fleurs en même temps. De taille compacte, il est parfait pour les jardins d'eau en bac et les petits bassins.
Margaret Mary	Fleurs bleu pâle à bleu moyen, parfumées. Développement moyen (1,80 à 3,60 m^2 [6 à 12 pi^2]). Tolère l'ombre (au moins 4 heures de soleil par jour). S'ouvre le jour, un peu vivipare.	Bien qu'elle soit de taille moyenne, la plante conviendra à un contenant de 4 L (1 gal).
Panama Pacific	Fleurs bleutées qui tournent au pourpre à cœur jaune vif. Tolère légèrement l'ombre (au moins 4 à 5 heures de soleil par jour). Moyen à grand développement selon la taille du contenant. S'ouvre le jour, assez vivipare.	Bonne plante de taille moyenne qui convient aux bassins de toute dimension.
Red Flare	Pétales spectaculaires rouge foncé, étamines d'un bordeaux profond et feuillage teinté de rouge. Moyen à grand développement (1,80 à 3,60 m^2 [6 à 12 pi^2] et plus). Exige le plein soleil (au moins 6 heures de soleil par jour). S'ouvre la nuit.	Fleurs rouges particulièrement impressionnantes. Convient aux bassins de taille moyenne ou grande.
Texas Shell Pink	Très grandes fleurs rose pâle. Florifère. Moyen à grand développement (1,80 à 3,60 m^2 [6 à 12 pi^2]). Tolère légèrement l'ombre (au moins 4 à 5 heures de soleil par jour). S'ouvre la nuit.	Convient aux bassins de taille moyenne ou grande. Fleurs géantes de couleur claire très visibles la nuit dans les bassins sombres.
Wood's White Knight	Grandes fleurs d'un blanc pur à étamines jaunes. Florifère. Fleurs parfumées. Moyen à grand développement (1,80 à 3,60 m^2 [6 à 12 pi^2] et plus). Tolère l'ombre (au moins 3 à 4 heures de soleil par jour). S'ouvre la nuit.	Convient aux bassins de taille moyenne ou grande. Très florifère ; présente des grappes d'au moins trois grosses fleurs en même temps.

ABS Acrylonitrile butadiène styrène
Matière plastique (en principe de couleur noire) employée pour fabriquer certaines coques de bassins préfabriquées ainsi que les tuyaux d'écoulement dans les installations de plomberie.

Aération Introduction d'oxygène dans l'eau en la mélangeant avec l'air, en général par le biais d'un jet d'eau ou d'un bulleur immergé (comme ceux qu'on utilise dans les aquariums).

Algicide Traitement chimique qui prévient ou contrôle le développement des algues.

Barre d'armature Tige d'acier utilisée pour renforcer les structures de béton épaisses dans le but de prévenir les fissures.

Chloramines Composés complexes qui se forment lorsque le chlore (contenu dans l'eau du robinet) se mélange aux nitrates présents dans l'eau du bassin. Toxiques pour les poissons et les plantes, les chloramines sont difficiles à neutraliser par des moyens chimiques : il faut normalement changer en partie ou complètement l'eau du bassin pour réduire le taux de chloramines.

Ciment plastique Mélange de ciment sec qui contient un additif au latex en poudre destiné à réduire la fissuration, et qui sert d'imperméabilisant.

Collet Excroissance d'un système racinaire à partir duquel une plante pousse ; zone où se rejoignent les tiges et les racines.

Déchaussement Soulèvement ou gonflement du sol dû à l'alternance du gel et du dégel.

Détritivores Dans un bassin de jardin, organismes vivants tels que escargots, moules, myes ou têtards qui se nourrissent d'excréments de poissons, d'algues et de matières organiques mortes.

Déversoir Échancrure pratiquée en travers d'un ruisseau pour créer une chute d'eau.

Disjoncteur de fuite à la terre Dans un circuit électrique, disjoncteur de sécurité qui compare la quantité de courant qui entre dans une prise et la quantité qui en sort. En cas de divergence, le disjoncteur coupe le courant en l'espace d'un quarantième de seconde. Ce dispositif est généralement obligatoire, en vertu du code d'électricité, dans les endroits extérieurs exposés à l'humidité.

Eau équilibrée Eau qui présente une teneur correcte en minéraux et un pH qui empêche d'avoir un milieu acide ou alcalin.

Eaux de ruissellement Eaux causées par de fortes pluies ou par l'irrigation et qui s'écoulent à la surface du sol. Si la pente du terrain est dirigée vers le bassin, les eaux de ruissellement de surface risquent de transporter des saletés et des produits chimiques horticoles dans le bassin.

EPDM Terpolymère éthylène-propylène-diène Type de caoutchouc synthétique. Les feuilles d'EPDM s'emploient comme toiles de bassins. Elles sont plus extensibles que le PVC et présentent une plus grande résistance aux rayons ultraviolets.

Feutre géotextile Toile épaisse placée sous une toile de bassin souple pour la protéger des pierres ou autres objets pointus présents dans l'excavation. Ce tissu se vend chez les fournisseurs de toiles pour bassins.

Gaine Tuyau de métal ou de plastique dans lequel on insère les câbles électriques souterrains ou aériens pour les protéger de l'humidité ou des dommages.

Hauteur de refoulement Distance verticale entre une pompe et le point d'évacuation de l'eau, employée pour déterminer la performance de la pompe. On évalue la dimension d'une pompe selon la quantité d'eau (en litres ou gallons à l'heure) qu'elle peut acheminer à différentes hauteurs de refoulement au-dessus de la surface de l'eau du bassin.

Margelle Pierres, briques ou autres éléments de maçonnerie servant de finition pour la bordure du bassin. On peut laisser la margelle libre ou la cimenter.

Mil Un millième de pouce ; mesure utilisée pour l'épaisseur des toiles pour bassins en PVC et en caoutchouc.

Nitrifiantes Se dit de bactéries utiles présentes dans l'eau du bassin qui décomposent les excréments de poissons et les autres matières organiques et transforment l'ammoniac toxique en nitrates inoffensifs dont se nourrissent les plantes.

pH Mesure de l'acidité ou de l'alcalinité du sol ou de l'eau. L'échelle de pH va de 0 (acide) à 14 (alcalin). Le chiffre moyen 7 représente un milieu neutre (ni acide ni alcalin). Dans un bassin, une eau saine a un pH qui se situe entre 6,5 et 8,5.

Photosynthèse Production de glucides par les plantes à partir du gaz carbonique, de l'eau et des matières nutritives inorganiques (nitrates et phosphates) en employant la lumière solaire comme énergie et en s'aidant de la chlorophylle de la plante.

Pilier Bloc de béton ou de maçonnerie construit au-dessus du niveau de la terre pour servir de support à la structure qui va reposer sur lui.

Plantes de berges Diverses espèces de végétaux qui poussent dans un sol humide ou marécageux présent sur les berges d'un ruisseau ou d'un bassin. On les appelle aussi plantes des lieux humides.

Plantes oxygénantes Diverses espèces de plantes submergées employées principalement pour ajouter de l'oxygène à l'eau du bassin.

Profondeur de gel Profondeur maximale à laquelle le sol gèle en hiver ; le service des travaux publics peut vous indiquer la profondeur de gel dans votre région.

Puits sec Cavité remplie de gravier destinée à recevoir et à drainer les eaux de ruissellement ; partie d'un système de drainage vers laquelle sont dirigées les eaux de ruissellement par le biais d'un tuyau de drainage perforé.

PVC Polyvinyle chlorure Type de plastique. Les feuilles de PVC minces et souples servent comme toiles de bassins. Les tuyaux de PVC rigides servent pour les canalisations d'eau.

Rayon ultraviolet (UV) Rayonnement invisible situé à l'extrémité violette du spectre solaire, qui cause la décoloration et la détérioration de certaines matières, notamment les plastiques. La plupart des toiles et coques de bassins contiennent des additifs chimiques qui bloquent les effets des rayons UV.

Remblai Terre, sable ou gravier employés pour combler l'espace creusé sous la coque ou la toile d'un bassin.

Rhizome Tige ou stolon souterrain rampant qui forme le bourgeon chez les nénuphars rustiques et certaines autres plantes aquatiques.

Semelle Partie plus large, située sous le sol, des fondations ou d'un mur de fondations en béton coulé.

Topographie Éléments du relief ou configuration de la surface d'un lieu ; représentation du relief d'un terrain.

Tubercule Excroissance charnue d'une tige ou d'un rhizome souterrains (une pomme de terre est un exemple de tubercule). Les nénuphars tropicaux sont des plantes tubéreuses, c'est-à-dire à tubercules.

Vasque Dans une cascade artificielle, petit bassin situé sous une chute d'eau et destiné à retenir l'eau quand la pompe est éteinte.

index